Windows 8

para TORPES

Vicente Trigo Aranda
Aurora Conde Martín

OBERON
PRÁCTICO

WINDOWS 8

© Copyright de los dibujos humorísticos: A. FRAGUAS "FORGES", cedidos los derechos a ANAYA MULTIMEDIA (GRUPO ANAYA, S.A.) para la presente edición.
© Copyright de los textos: Vicente Trigo Aranda y Aurora Conde Martín.

© EDICIONES ANAYA MULTIMEDIA (GRUPO ANAYA, S.A.), 2013
Juan Ignacio Luca de Tena, 15. 28027 Madrid
Depósito legal: M.40.363-2012
ISBN: 978-84-415-3327-1
Printed in Spain

Para Conchita Trigo

Índice

La pantalla Inicio y sus aplicaciones *10*

Los mosaicos de Windows 8 12
Introducción a las aplicaciones 17
Un paseo por las aplicaciones informativas 21
Las aplicaciones lúdicas 27
La barra de accesos 33
Cuenta Microsoft 38
Las aplicaciones de Internet 42
Personalizar la pantalla Inicio 52
Salir de Windows 8 56

El escritorio, las ventanas y las carpetas *58*

Las ventanas de Windows 8 61
Operaciones con ventanas 67
Cambiar de ventana 72
Personalizar las carpetas 73
Personalizar el escritorio 78
Personalizar el ratón 83
Personalizar la pantalla 85
Personalizar la barra de tareas 87
Personalizar la vista de los iconos 91
Operaciones con iconos 95
Carpetas comprimidas 99

Los accesorios y los programas *102*

Escribir documentos 103
Escribir notas 119
Insertar caracteres especiales 122
Imprimir en un archivo 127
Hacer cálculos 131
Los programas 135
Accesos directos y compatibilidad 139

Los discos y las cuentas de usuario *142*

La capacidad de las unidades de almacenamiento 143
Las unidades USB 146
La grabación de datos en discos 153
La grabación de archivos ISO 160

Cuentas de usuario y protección infantil.................................162
Protección infantil 168
Acceso público y compartir 170

Las imágenes, el audio y el vídeo *174*

Los diferentes tipos de imágenes digitales 176
El Visualizador de fotos de Windows......................................179
Impresión de imágenes 184
Dibujar con Paint 188
Modificar imágenes con Paint 192
Capturas de pantalla...196
Los diferentes tipos de audio digital 200
Cambiar sonidos del sistema..202
El Reproductor de Windows Media 204
Los diferentes tipos de vídeo digital......................................207
Las máscaras del Reproductor de Windows Media 212
Ripear un CD de audio...215
Nuestra biblioteca multimedia..220
Grabación de un CD de audio 225

Internet Explorer...*228*

La ventana de Internet Explorer..229
Las descargas...234
Los complementos...237
Las pestañas 240
Las búsquedas 244
Conservar las páginas 248
Los favoritos 251
Los aceleradores 255
Seguridad ante todo 257

Sistema y seguridad..*262*

Herramientas administrativas 264
Restaurar 269
Opciones de energía 275
Firewall de Windows y Windows Update 276
Windows Defender...280

Índice alfabético *284*

La pantalla
Inicio y sus aplicaciones

Podríamos comenzar hablando de lo maravilloso que es Windows 8, de su versatilidad y prestaciones, de las múltiples novedades que incorpora, etc. Sin embargo, como nuestra pretensión es lograr que todo el mundo que lea este libro aprenda a desenvolverse con soltura en Windows 8, es preferible tomarnos las cosas con calma.

En otras palabras, vamos a introducirnos en Windows 8 paso a paso, recordando al gran Antonio Machado, "despacito y buena letra, que el hacer las cosas bien, importa más que hacerlas".

Y si hablamos de pasos, es evidente que tras dar los dos primeros (encender el dispositivo y acceder a nuestra cuenta) nos encontramos con la primera gran novedad de Windows 8: su pantalla inicial, que tendrá un aspecto análogo al de la figura 1.1.

Figura 1.1. Pantalla Inicio.

Pero, ¿*windows* no significa "ventanas"? ¿Dónde están las clásicas ventanas de Windows? Pues en el escritorio, claro está. ¿Y dónde está el escritorio? Paciencia, enseguida pasaremos a él, pero antes debemos hablar de otras cosas.

Esos botones tan rollizos que vemos en la pantalla Inicio son los mosaicos y su tamaño es tan amplio para facilitar su utilización en dispositivos táctiles, como las tabletas o los teléfonos. No obstante, si manejamos un PC con un monitor normal, también podemos maniobrar cómodamente con el clásico ratón.

Tengamos en cuenta que una de las mejoras de Windows 8 es sincronizar los equipos en que iniciemos sesión, mediante la conexión a la nube (los servicios de Internet, para entendernos). En otras palabras, todos nuestros dispositivos con Windows 8 (PC, tableta, teléfono y los nuevos que puedan aparecer en el futuro) tendrán sincronizada nuestra configuración personal.

Esta interfaz de usuario tan atractiva, a la vez que práctica, se conoció en los primeros momentos por estilo Metro, que es el nombre de un lenguaje de diseño creado por Microsoft para el Windows Phone 7; no obstante, cuando el nombre había comenzado a popularizarse, resultó que una empresa alemana alegó que poseía los derechos de esa marca y Microsoft pasó a denominar a su lenguaje Modern IU (moderno interfaz de usuario), que no resulta muy apropiado para aludir al seductor entorno visual de los mosaicos.

¿Y cómo llamarlo entonces? Pues simplemente estilo Windows 8. ¡Para qué complicarse la vida!

LOS MOSAICOS DE WINDOWS 8

Los mosaicos que encontramos en la pantalla Inicio nos permiten acceder con comodidad y rapidez a las aplicaciones más demandadas por todas aquellas personas que utilizan su equipo, sobre todo, para actividades centradas en el ámbito del entretenimiento y la comunicación: gestionar su correo electrónico o su calendario, estar al día con sus contactos en las redes sociales o mantener conversaciones de mensajería instantánea, informarse puntualmente de las noticias recientes o de la meteorología, disfrutar mirando de nuevo sus fotografías o escuchando su música o mirando sus vídeos, navegar por Internet, pasar un buen rato con un juego, etc. ¡Y no nos olvidemos de las compras!

¿Y si queremos utilizar el PC para hacer otras cosas más "serias"? En ese caso, lo más recomendable es pasar al escritorio, que también dispone de un mosaico para acceder a él. Así, activando el mosaico **Escritorio** (con el ratón o con el dedo en un dispositivo táctil), pasamos al escritorio de Windows 8, un ejemplo del cual vemos en la figura 1.2.

Figura 1.2. Escritorio de Windows 8.

¿Y cómo volvemos a la pantalla Inicio? Lo más rápido es pulsar la tecla Windows, esa tecla que está situada en la parte inferior del teclado y lleva impreso el logotipo de Windows o un texto como "Win".

¿Ya estamos en la pantalla Inicio? Pues pulsando de nuevo la tecla Windows retornamos al escritorio (al igual que si hubiésemos activado su mosaico) y así sucesivamente.

- En realidad, como comprobaremos más adelante, la tecla Windows nos traslada de la pantalla Inicio a la última aplicación que hayamos abierto, y viceversa. Debido a que Windows 8 considera el escritorio como una aplicación más, por eso ahora la tecla Windows nos ha venido de perlas.

- Cuando tengamos abierta cualquier aplicación, si nos situamos en la esquina inferior izquierda de la pantalla, nos surgirá la miniatura de la figura 1.3, con la que vamos a la pantalla Inicio.

Figura 1.3. Para ir a la pantalla Inicio.

- La combinación Control-Esc nos lleva directamente a la pantalla Inicio, estemos donde estemos.

- Si estamos manejando una aplicación y queremos trasladarnos al escritorio, en lugar de ir a la pantalla Inicio y activar el mosaico del escritorio, llegamos antes con Windows-D.

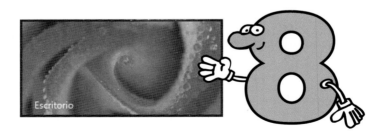

Cuando a lo largo de este libro se haga alusión a una combinación de teclas, como por ejemplo Windows-D, Control-Esc o Alt-F4, se nos está diciendo que debemos mantener pulsada la tecla Windows, Control, Alt o la que sea, y, sin soltarla, pulsar la que se indica después, tras el guión.

Ahora, volvamos de nuevo a la pantalla Inicio por cualquiera de los caminos que ya conocemos.

Si en una única pantalla no caben los mosaicos disponibles, como ocurría en la figura 1.1, podemos movernos entre ellos deslizando la barra de desplazamiento inferior o girando la rueda del ratón.

En la figura 1.4 observamos el resto de mosaicos correspondientes a las aplicaciones predeterminadas de Windows 8. Por defecto, a su derecha aparecerán los mosaicos de las aplicaciones que instalemos en el futuro (en este caso se trata de dos juegos gratuitos).

Sin embargo, algunas personas tienen la costumbre de instalar en su equipo aplicaciones sin ton ni son y, a resultas de ello, su pantalla Inicio acaba más abarrotada que una playa en verano. Por esta razón, Windows 8 permite reducir momentáneamente el tamaño de los mosaicos, para que nos sea más fácil localizar aplicaciones o agruparlas (lo veremos más adelante). Disponemos de varias opciones para cambiar la vista de la pantalla Inicio:

- En la esquina inferior derecha de la pantalla, justo al terminar la barra de desplazamiento, se encuentra el botón −, como podemos apreciar en la figura 1.4. Al activarlo reducimos el tamaño de los mosaicos y, luego, recuperamos el original con un clic en cualquier parte de la pantalla. ¿Y si no está visible el icono −? Sólo tenemos que situarnos en la esquina inferior derecha de la pantalla Inicio para mostrarlo (también se desplegará en el lateral derecho la barra de accesos, de la que hablaremos dentro de poco).

- Mediante la combinación Control y las teclas - y + alejamos y acercamos, respectivamente, el punto de visión. Ambos efectos podemos conseguirlos también pulsando Control y girando la rueda del ratón.

Figura 1.4. Nuevas aplicaciones en la parte derecha de la pantalla.

Si nos encontramos en el escritorio y giramos la rueda del ratón manteniendo pulsada la tecla Control, lo que conseguimos es modificar el tamaño de los iconos.

Introducción a las aplicaciones

¿Verdad que ya tienes ganas de dedicar algo de tiempo a practicar con las aplicaciones que incorpora Windows 8, para averiguar sus prestaciones y habituarte a su entorno común: cómo pasar de una a otra, cómo cerrarlas, cómo acceder a sus comandos, etc.?

Lo sentimos, pero de nuevo volvemos a pedirte un poquito de paciencia. Antes de dar el pistoletazo de salida para nuestra primera toma de contacto con las aplicaciones, hay una serie de cuestiones previas que es necesario comentar para ahorrarnos trabajo y evitarnos problemas.

Lo primero que debemos dejar claro es que no tiene ningún sentido explicar en detalle todas las aplicaciones, porque varias de ellas nos enlazan con sitios de Internet cuya interfaz muy posiblemente cambiará a lo largo del tiempo, por no hablar de las mejoras que irán sucediéndose en dichos sitios. En otras palabras, veremos la utilidad de las diversas aplicaciones, pero dejamos en tus manos la tarea de investigarlas con mayor profundidad cuando tengas algo de tiempo. ¿Estás de acuerdo?

Por otra parte, no esperes encontrar en las aplicaciones predefinidas de la pantalla Inicio las múltiples posibilidades que nos procuran otros programas más completos. Por ejemplo, la aplicación Música que vemos en la figura 1.5 no brinda tantas prestaciones como el tradicional accesorio Reproductor de Windows Media, ni mucho menos; no obstante, es innegable que la aplicación resulta muy útil cuando sólo nos interesa escuchar música, especialmente si manejamos un dispositivo táctil. ¡Sin olvidar que facilita muchísimo la compra de música en la tienda de Microsoft!

¿Eso quiere decir que las aplicaciones iniciales de Windows 8 están muy bien para las cosas habituales pero que es preferible acudir a los accesorios u otros programas para tareas más específicas y complejas? Pues es una buena aproximación a la realidad, en efecto.

Claro que también es cierto que, cuando utilizamos Windows 8 en un dispositivo móvil, lo normal es que sea para llevar a cabo las tareas asociadas a las aplicaciones de la pantalla Inicio.

Figura 1.5. Escuchando a los clásicos con la aplicación Música.

¿Y cuántas aplicaciones predeterminadas incluye Windows 8? ¿Todas tienen su correspondiente mosaico en la pantalla Inicio? En la figura 1.6 vemos el listado de aplicaciones iniciales y prácticamente todas, con alguna excepción, disponen de mosaico en Inicio. Por cierto, la combinación **Control-Tab** nos pasa de la pantalla Inicio a la lista de aplicaciones de la figura 1.6, y viceversa.

Algunos mosaicos de la pantalla Inicio incluyen un icono representativo en lugar del nombre de la aplicación. Para ver este último, basta colocar el puntero del ratón encima del mosaico.

Figura 1.6. Aplicaciones de Windows 8.

En principio una de las aplicaciones sin mosaico es Lector, que la dejamos para el tercer capítulo; la otra es Selección del explorador. ¿Y qué es eso? Pues ni siquiera está claro que sea una aplicación que perdure en el tiempo y no es descartable que alguna actualización futura de Windows 8 la elimine.

Algunas empresas se quejan de que la estrategia de incluir Internet Explorer en Windows 8 favorece que Microsoft obtenga en la práctica un cierto monopolio del mercado de exploradores (navegadores) de Internet y, la verdad sea dicha, algo de razón sí que tienen. Si ya disponemos de Internet Explorer, que es un magnífico software para navegar por Internet, ¿para qué instalar otro explorador, como Chrome, Firefox, etc.?

El litigio ha llegado hasta las salas de justicia y, por el momento, la decisión adoptada es que Microsoft debe dejarnos elegir qué explorador instalamos en el equipo. Esta es precisamente la utilidad de la aplicación Selección del explorador.

Cuando se activa esta aplicación, se abre una primera pantalla informativa y, después de hacer clic en Continuar, pasamos a una pantalla donde se nos ofertan los exploradores más importantes. Como puedes imaginar, nuestra elección será Internet Explorer; así que hacemos clic en su correspondiente Instalar y, tras la inevitable espera, damos el asunto por terminado y nos olvidamos para siempre de la aplicación Selección del explorador.

Por último, veamos algunas características comunes a todas las aplicaciones:

- Para movernos por el contenido de la aplicación podemos utilizar la barra de desplazamiento situada en la parte inferior de la pantalla o la rueda del ratón (o el dedo, si manejamos un dispositivo táctil).

- Al final de la barra de desplazamiento inferior casi siempre se ubica el botón -. Con él vemos un esquema del contenido de la aplicación, de este modo podemos ir rápidamente a una zona en concreto.

- Los comandos de las aplicaciones nos permiten realizar cómodamente las tareas más habituales, como encontrar hotel, averiguar el tiempo en otra ciudad, buscar noticias de un deporte en concreto, etc. Para acceder a estos comandos, que aparecen en la parte superior o inferior de la pantalla, sólo tenemos que hacer clic con el botón secundario del ratón (el derecho, por defecto) en un espacio abierto de la aplicación. También podemos utilizar la combinación Windows-Z.

- Recordemos que con la tecla Windows retornamos a la pantalla Inicio, desde cualquier aplicación.

Un paseo por las aplicaciones informativas

Ya va siendo hora de practicar un poco, ¿no crees? De modo que vamos a comenzar un entretenido recorrido por algunas de las aplicaciones iniciales de Windows 8.

Como a casi todo el mundo le apetece viajar, aunque sea de forma virtual, nuestro primer destino será precisamente la aplicación Viajes.

1. Activamos el mosaico **Viajes** en la pantalla Inicio. Enseguida se abre la pantalla de la figura 1.7 (la ciudad puede variar, claro está).

Figura 1.7. Una ciudad preciosa.

2. Echamos un vistazo por las secciones que conforman la aplicación: Destinos destacados, Panorámicas, etc. Para movernos entre ellas, utilizamos la barra de desplazamiento o la rueda del ratón; también podemos hacer clic en el botón — (destacado en la figura 1.7) para ir directamente a una sección.

3. Elijamos, por ejemplo, una de las panorámicas ofertadas y disfrutemos de la visión. Cuando nos cansemos, con la flecha situada en la esquina superior izquierda volvemos a la sección de panorámicas, donde podemos seleccionar otra.

4. Ahora retrocedamos y escojamos uno de los destinos destacados ofertados. ¡Es asombrosa la cantidad de información disponible!

5. Ahí mismo, por ejemplo, abrimos los comandos de la aplicación, que también podemos ver en la figura 1.8. Recordemos que sólo debemos hacer clic con el botón derecho del ratón.

Figura 1.8. Destino Ámsterdam.

6. Con **Inicio** volveríamos a la pantalla inicial de la aplicación (no a la pantalla Inicio) y con los otros podemos buscar hoteles, otros destinos, etc. El comando **Anclar a Inicio**, que no vamos a tocar por ahora, colocaría en la pantalla Inicio un mosaico para acceder directamente a esa información.

7. Sigamos mirando un poco más la aplicación y cuando nos cansemos, pulsamos la tecla Windows parar ir a la pantalla Inicio.

¿Y no tenemos que cerrar la aplicación? No, esa tarea la dejamos para más adelante. Ahora vamos a seguir practicando, investigando por nuestra cuenta las aplicaciones que brindan información actualizada, cuyos mosaicos son **Finanzas**, **Deportes** y **Noticias**.

Son sencillas de manejar, ¿no crees? Pasemos a otra más atractiva, la correspondiente al mosaico **Mapas**. Al entrar en ella por vez primera, se nos pregunta si damos permiso para que el servidor localice la ubicación de nuestro dispositivo. Vamos a suponer que nos parece bien y hacemos clic en Permitir.

Instantes después veremos nuestra posición en el mapa y podemos ajustar la escala de visión con los botones Acercar y Alejar del lateral izquierdo o girando la rueda del ratón.

Los comandos de esta aplicación, visibles en la figura 1.9, nos permiten mostrar información sobre el tráfico, cambiar a una vista aérea, centrar el mapa con respecto a nuestra situación y encontrar la ruta a seguir para ir de un destino a otro.

Finalmente, al activar el mosaico **El tiempo** también se nos solicita permiso para que los servicios de localización averigüen muestra ubicación y, de esta forma, la información meteorológica corresponda al lugar donde nos encontramos.

Figura 1.9. Vista aérea.

Basta dar un breve vistazo a esta aplicación para comprobar que nos brinda una excelente información meteorológica. Además, uno de sus comandos, **Lugares**, nos permite guardar nuestras ciudades favoritas, para acceder a su tiempo atmosférico rápidamente, algo de interés cuando nuestra familia está desperdigada por el mundo.

Con esto damos por acabado nuestro primer paseo por las aplicaciones y, aprovechando que tenemos varias abiertas, vamos a ver qué debemos hacer para cambiar de una a otra, sin necesidad de pasar por la pantalla Inicio.

- Así como la barra de accesos, que veremos poco después, se sitúa en el lateral derecho, el izquierdo lo reserva Windows 8 para disponer las aplicaciones abiertas. Por esta razón, para cambiar a la aplicación más reciente, sólo tenemos que ir a la esquina superior izquierda y se desplegará una miniatura de la aplicación. Al hacer clic en ella o arrastrarla un poco, la tendremos abierta por donde la hubiésemos dejado.

- Si nos interesa ir a otra aplicación, nos desplazamos de nuevo a la esquina superior izquierda pero, después, nos movemos hacia abajo. Como ocurre en la figura 1.10, nos surgen las miniaturas de las aplicaciones abiertas, donde seleccionamos la que deseemos.

Figura 1.10. Barra de aplicaciones a la izquierda.

- La combinación Windows-Tab también nos abre la barra de aplicaciones y, mediante su empleo sucesivo, vamos a la que nos interese.
  Si pulsamos Control-Windows-Tab, la barra se fija momentáneamente y con los cursores elegimos la deseada (con un Intro final).

- Mediante **Alt-Tab** abrimos una ventana, similar a la presentada en la figura 1.11, con todas las aplicaciones abiertas, aunque con el añadido de todos los programas abiertos en el escritorio, carpetas incluidas. La variación **Control-Alt-Tab** despliega dicha ventana para que nos movamos con los cursores.

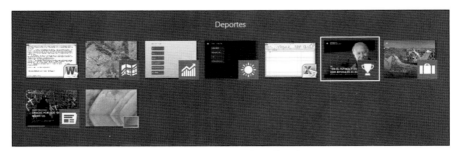

Figura 1.11. Ventana de aplicaciones.

¿Y cómo cerramos una aplicación que tengamos abierta? En realidad, esta tarea no es necesaria porque, al menos teóricamente, no ralentizan el equipo al ejecutarse en un segundo plano y Windows 8 acabará cerrándolas si no se emplean. De todos modos, si nos apetece cerrar una aplicación disponemos de varias alternativas:

- Si queremos cerrar la que estamos utilizando en ese momento, lo más rápido es pulsar **Alt-F4**. También podemos llevar el puntero hasta la parte superior de la pantalla y, cuando su cursor se transforma en una mano, lo arrastramos hacia abajo; comprobaremos que cambia de tamaño y, entonces, lo debemos llevar a la parte inferior de la pantalla.

- Cuando deseemos cerrar una de las aplicaciones de la barra del lateral izquierdo, la movemos un poco y, cuando aumente algo su tamaño, la arrastramos a la parte inferior de la pantalla. Otra opción más cómoda es hacer clic en la miniatura de la aplicación con el botón secundario del ratón (el derecho, en principio) y activar **Cerrar**.

Si no dispones de tiempo para seguir practicando, siempre puedes dejarlo y continuar en otro momento. En este caso, mira el último apartado de este capítulo para saber cómo cerrar Windows 8 correctamente.

LAS APLICACIONES LÚDICAS

En este apartado nos dedicaremos a las aplicaciones centradas en el entretenimiento y, como ya nos manejamos con bastante soltura en el entorno de Windows 8, las explicaciones no precisarán mucho detalle, ¿verdad?

Siguiendo la línea habitual, se trata de aplicaciones sin grandes prestaciones pero que cumplen las necesidades básicas, especialmente si estamos manejando un dispositivo móvil. Dejando de lado las aplicaciones Fotos y Cámara, las otras que veremos a continuación, además de permitirnos reproducir audio y vídeo o disfrutar de un juego, tienen como finalidad última ponernos los dientes largos para que gastemos nuestro dinero en la tienda de Microsoft. ¡Comprar, comprar y comprar!

Claro que nadie nos obliga a ello. ¿Superaremos la tentación?

Iniciemos nuestro nuevo recorrido por las aplicaciones activando el mosaico **Fotos**. Como podemos deducir de la parte inferior de la figura 1.12, esta aplicación no se limita a facilitarnos la visión de las fotografías que tenemos almacenadas en el equipo, sino también la de aquellas que hemos subido a Facebook, Flickr, etc., o las situadas en otros dispositivos.

El botón situado en la esquina izquierda genera atractivas composiciones a partir de nuestra galería fotográfica. ¡Para disfrutar un buen rato!

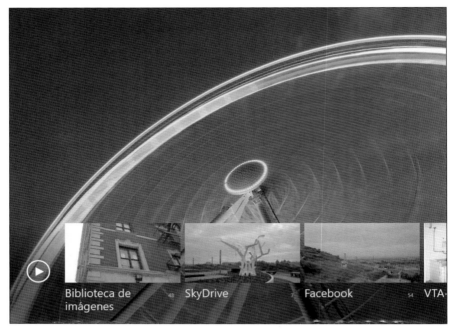

Biblioteca de
imágenes 48 · SkyDrive 7 · Facebook 54 · VTA·

Figura 1.12. Aplicación Fotos.

En realidad, poco más hay que decir. Basta con seleccionar una de las colecciones e iremos viendo las imágenes que contienen. Cuando ampliemos una de ellas, sus comandos (clic con el botón derecho del ratón) nos ofertan interesantes funciones:

- **Establecer como** nos permite colocar la fotografía que estamos viendo como pantalla de bloqueo de Windows 8, como icono de la aplicación en la pantalla Inicio o como su fondo (en lugar del fondo de la figura 1.12).

- La utilidad de **Eliminar** es evidente, ¿no? A todo el mundo le salen malas fotografías de vez en cuando.

- **Presentación** nos va mostrando automáticamente todas las fotografías de la colección. La interrumpimos en cualquier momento con un simple clic.

Cuando estamos viendo una fotografía a pantalla completa, en medio de los laterales disponemos de botones para cambiar a la imagen anterior y posterior, si bien resulta más cómodo hacer esta acción con la rueda del ratón. Por otra parte, en la esquina inferior derecha los botones + y - nos permiten ajustar la escala de visión.

Cuando hayamos terminado con la aplicación Fotos, volvemos a la pantalla Inicio y activamos el mosaico **Cámara**, con el que podemos tomar fotografías y grabar vídeos (si estamos utilizando un PC, damos por supuesto que incorpora una webcam).

En la figura 1.13 vemos un ejemplo del entorno de la aplicación Cámara. Los preparativos para su empleo son muy sencillos:

Figura 1.13. Aplicación Cámara.

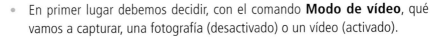

- En primer lugar debemos decidir, con el comando **Modo de vídeo**, qué vamos a capturar, una fotografía (desactivado) o un vídeo (activado).

- En función de nuestra elección anterior, con **Opciones de la cámara** establecemos la calidad de la captura.

- Por defecto, para tomar una fotografía sólo tenemos que hacer clic en la pantalla; sin embargo, a veces nos puede interesar disponer de unos segundos para cambiar de posición y salir en la foto. **Temporizador** nos da tres segundos de margen.

- El proceso de grabación en vídeo es idéntico al anterior, si bien precisamos de un segundo clic para detenerla.

¿Qué tal si dedicamos unos minutos a tomarnos fotografías y grabarnos en vídeo?

¿Hemos terminado? Pues si nos fijamos un poco en la pantalla comprobaremos que en medio del lateral izquierdo aparece un botón; con él (y con otro análogo que surgirá en el lateral derecho) podremos desplazarnos por las fotografías tomadas y reproducir los vídeos grabados.

Además, si cerramos la aplicación y volvemos a abrirla, seguimos teniendo disponibles todas las capturas de sesiones anteriores.

Si accedemos a una fotografía o un vídeo de la aplicación Cámara, con su comando **Eliminar** podemos suprimirla si no nos gusta. Todavía más interesante es **Recortar**, que nos facilita quedarnos con sólo un fragmento de la captura:

- En el caso de una fotografía, con los cuatro botones blancos delimitamos el área rectangular que deseamos conservar, pudiendo incluso arrastrar la zona marcada a otra parte de la imagen.

- En los vídeos sólo disponemos de dos botones blancos, con los que establecemos donde comienza y finaliza el segmento que nos interesa conservar.

Después, con Aceptar o Cancelar indicamos si nos quedamos con el fragmento o no.

Las fotografías y vídeos tomados con la aplicación Cámara también los podemos encontrar en la aplicación Fotos. Tenemos que abrir **Biblioteca de imágenes** *y, luego,* **Álbum de cámara**.

Con las aplicaciones Música y Vídeo podemos reproducir los archivos de audio y vídeo que tenemos en nuestro equipo y, como apreciamos en la figura 1.14, sus controles son los típicos de todo reproductor.

Figura 1.14. Una canción maravillosa.

Sin embargo, no olvidemos que la "gracia" de estas aplicaciones es mostrarnos un gran escaparate de música y cine, para que se nos haga la boca agua y acabemos comprando algo en la tienda de Microsoft.

En realidad se trata de una táctica comercial muy común en el ámbito de teléfonos y tabletas, aunque no tanto en los equipos de sobremesa. No obstante, tiene su sentido porque ahora todos los dispositivos están enlazados y, de hecho, cada vez resulta más difícil diferenciar entre, por ejemplo, un PC, una tableta, un netbook o un teléfono de última generación, salvo por su tamaño, claro está.

Volviendo a las aplicaciones Música y Vídeo, la primera nos oferta una vista previa (medio minuto) de una inmensidad de canciones, para que compremos aquella que nos guste o el álbum completo.

Todavía más evidente es el objetivo comercial de las aplicaciones Juegos y Tienda, ¿no te parece?

El trastorno de compra compulsiva se denomina oniomanía (shopaholism en inglés). Si tienes adicción a las compras, ten mucho cuidado con las dos aplicaciones anteriores y las dos siguientes, porque tus finanzas pueden sufrir un serio quebranto.

Sin embargo, aprovechando que en la tienda de Microsoft también hay cosas gratuitas, vamos a ver cómo descargarnos un juego sin rascarnos el bolsillo.

1. En la pantalla Inicio activamos el mosaico **Tienda**.

2. Si damos un pequeño paseo por la vitrina de la tienda observaremos que hay varias secciones con múltiples aplicaciones de todo tipo para su descarga, muchas de ellas gratuitas. ¡No es obligatorio instalárselas todas, ni mucho menos!

3. En la sección **Juegos**, entramos en **Principales gratis** y seleccionamos un juego que nos resulte conocido. Por ejemplo, el clásico Buscaminas (Microsoft Minesweeper).

4. En la pantalla de la figura 1.15, hacemos clic en Instalar. Aunque retornemos a la pantalla anterior, todavía tardaremos un rato en tener disponible el juego, porque debe descargarse. Así que un poquito de paciencia.

Figura 1.15. Inseparable de Windows.

Cuando el proceso haya concluido (Windows 8 nos informará de ello), ya tendremos el Buscaminas en nuestro dispositivo y su mosaico podremos localizarlo en la parte derecha de la pantalla Inicio. ¿Qué tal si hacemos una pequeña pausa y jugamos un poquito con él?

¿Lo has pasado bien? ¿Te apetece instalar algún juego más?

LA BARRA DE ACCESOS

La barra de accesos, que se ubica en el lateral derecho de la pantalla, contiene accesos a una serie de utilidades que nos facilitan sobremanera la realización de las tareas básicas y de configuración del equipo.

Para desplegar la barra de accesos tenemos, como siempre, varias opciones:

- En un dispositivo táctil basta con deslizar rápidamente el dedo por el lateral derecho.

- Si utilizamos un ratón, llevamos su puntero hasta cualquiera de las esquinas de la parte derecha de la pantalla; luego, al moverlo hacia uno de los accesos, la barra de ser transparente, como vemos en la figura 1.16. El mismo efecto conseguimos con la combinación Windows-C.

Figura 1.16. La barra de accesos.

El siguiente paso es seleccionar el acceso que interesa en ese momento. ¿Y cuál es la utilidad de cada uno? Vayamos con ello.

- Comencemos por el acceso central, **Inicio**. Como su nombre indica, nos lleva a la pantalla Inicio. ¡Otra forma más de llegar ahí! ¿Y si da la casualidad de que nos encontramos ya en la pantalla Inicio? Entonces nos traslada a la última aplicación abierta.

- En cuanto al acceso **Compartir**, que podemos abrir directamente con Windows-H, nos facilita el envío de fotos, vídeos, etc., a través de correo, redes sociales, etc. (estas aplicaciones las veremos en próximos apartados) sin necesidad de abandonar la aplicación actual. Por ejemplo, si estamos viendo una fotografía y deseamos subirla a nuestro SkyDrive, sólo tenemos que activar **Compartir** y, después, su destino. Todo ello mientras seguimos estando en la aplicación Fotos.

- El acceso **Dispositivos**, al que también podemos llegar con Windows-K, nos facilita el envío de información a impresoras, televisores, etc. Por ejemplo, mediante este acceso podemos imprimir un correo (aplicación Correo) o la ruta a seguir en un viaje (aplicación Mapas).

- Con el acceso **Configuración**, o su equivalente Windows-I, podemos modificar los permisos de privacidad (que Mapas deje de ubicar nuestra posición, por ejemplo), algunas preferencias de la aplicación, etc. En su sección inferior, mostrada en la figura 1.17, encontraremos el botón de apagado (al final de capítulo hablaremos de él) y el control de volumen, así como el acceso a todos los cambios en la configuración del PC (son tantos y tan variados que los iremos comentando conforme los vayamos necesitando).

Nos falta por comentar el acceso **Buscar**, que exige una explicación más detallada, pues resulta una herramienta muy pero que muy útil. Es evidente que, con el paso del tiempo, habremos instalado múltiples programas y aplicaciones en nuestro equipo, por no hablar del gran número de archivos que iremos acumulando: fotos, música, documentos, etc.; por lo otro lado, las opciones de configuración que nos brinda Windows 8 son tantas y tan variadas que resulta difícil recordar dónde está cada una.

Figura 1.17. Sección inferior del acceso Configuración.

Precisamente la finalidad del acceso **Buscar** es ayudarnos a realizar las tareas anteriores. Así que activémoslo en la barra de accesos o pulsemos Windows-Q. Tendremos en pantalla algo similar a lo mostrado en la figura 1.18

Observemos que en la parte superior derecha de la pantalla se nos brindan tres opciones de búsqueda, que comentamos a continuación, y ahí elegimos la que nos interese; debajo, vemos la lista de aplicaciones de la pantalla Inicio. La colección de todas las aplicaciones, accesorios, programas, etc., la tenemos disponible en la zona izquierda (recordemos que Control-Tab nos lleva a ella desde la pantalla Inicio).

- **Aplicaciones**, que es la opción por defecto, nos evita el ir buscando a ojo un determinado elemento. Sólo tenemos que empezar a escribir algo y Windows 8 se encarga de encontrar todas las aplicaciones, accesorios o programas que contienen esa secuencia de caracteres en su nombre. Fácil, ¿no crees? Aunque, si estamos en Inicio y comenzamos a teclear algo, obtenemos el mismo resultado. ¡Más cómodo imposible!

- **Configuración**, a la que también podemos acceder directamente con Windows-W, nos localiza la utilidad o herramienta buscada. Por ejemplo, si queremos modificar el volumen del sonido y no recordamos cómo hacerlo, conforme vamos tecleando sonido se nos presentarán accesos relacionados con esa tarea y sólo tenemos que activar el adecuado.

Figura 1.18. Acceso Buscar.

- **Archivos**, que también abrimos con Windows-F, es análoga a las anteriores, si bien tiene sus propias peculiaridades:

  - Al terminar de escribir el criterio de búsqueda, para que comience ésta debemos pulsar Intro o hacer clic en el botón derecho de la caja de búsqueda.

  - Busca la secuencia de caracteres introducidos no sólo en el nombre de los archivos sino también en su contenido: documentos, archivos pdf, etc.

  - Si el nombre de una carpeta contiene el criterio de búsqueda, se nos mostrarán los archivos que contiene.

- Cuando los archivos encontrados son de distinto tipo, podemos agruparlos en diferentes categorías: Documentos, Imágenes, Música, etc.

- Por defecto, se nos ofrecen sugerencias en base a los criterios introducidos en anteriores búsquedas.

Mediante **Cambiar configuración de PC** *del acceso* **Configuración** *abrimos la pantalla de configuración. Con* **Buscar** *de su lateral izquierdo podemos cambiar el historial de búsqueda y las aplicaciones a buscar.*

CUENTA MICROSOFT

Varias de las aplicaciones que vamos a manejar enseguida (Correo, Calendario, SkyDrive, etc.) están ligadas a una cuenta Microsoft que, normalmente, se suele introducir durante el proceso de instalación de Windows 8.

En caso de que lo hayamos hecho, usamos dicha cuenta para iniciar nuestra sesión al entrar en el equipo y, de este modo, podemos obtener acceso a nuestros archivos en la nube, nuestros contactos, etc., además de sincronizar nuestra configuración con otros dispositivos. En resumen, resulta muy útil y cómodo que nuestra cuenta Microsoft sea nuestra puerta de entrada a Windows 8.

¿Es así? Entonces puedes saltarte el resto de este apartado e ir al siguiente.

¿Continúas aquí? Eso quiere decir que o no dispones de una cuenta Microsoft o no la utilizas para iniciar sesión en Windows 8. Veamos cómo actuar en estos casos.

Si ya tienes una cuenta de correo con cualquiera de sus múltiples servicios (Hotmail.com, Hotmail.es, Live.com, Outlook.com, Msn.com, etc.), te sirve como cuenta Microsoft; en caso contrario, un posible camino para agenciarse rápidamente una cuenta Microsoft (no te preocupes, es gratuita) es el siguiente:

1. Activamos el mosaico **Correo**.

2. Observamos en la figura 1.19 que si tuviésemos una cuenta Microsoft ya podríamos utilizarla para usarla con el correo, los contactos, etc. Como suponemos que no la tenemos, activamos **Registrarse para obtener una cuenta Microsoft**.

Figura 1.19. Agregar cuenta en Correo.

3. Se pone en marcha Internet Explorer para mostrarnos el clásico formulario que debemos cumplimentar con nuestros datos para registrarnos (gratuitamente, claro está).

4. Finalizamos haciendo clic en Acepto y, tras una breve pausa, accedemos a nuestro correo. Como lo importante ahora era conseguir una cuenta Microsoft, cerramos la aplicación Correo y ya volveremos a ella dentro de un rato.

Supongamos ahora que nuestra cuenta Microsoft todavía no es nuestra puerta de entrada a Windows 8, porque no la teníamos, no hemos intervenido en la instalación, tenemos una cuenta de equipo local, etc. ¿Qué hacemos?

Como ya es seguro que disponemos de una cuenta Microsoft, para conseguir que también nos sirva para iniciar sesión en Windows 8, podemos hacer lo siguiente:

1. Activamos **Configuración** en la barra de accesos. Recordemos que vamos ahí directamente con Windows-I.

2. Seleccionamos **Cambiar configuración de PC**.

3. Nos desplazamos a **Usuarios** y, como sucede en la figura 1.20, se nos indica que la cuenta es local.

Figura 1.20. Configuración de usuarios.

4. Hacemos clic en **Cambiar a una cuenta Microsoft**.

5. En sucesivas pantallas escribiremos la dirección de correo de nuestra cuenta Microsoft, su contraseña y, si lo deseamos, podemos alterar la información que dimos en su momento para recuperar la contraseña en caso de olvido: teléfono, correo alternativo o pregunta secreta.

6. Con **Finalizar**, en la última pantalla, concluimos el proceso. La próxima vez que iniciemos sesión en Windows 8 ya será con los parámetros de nuestra cuenta Microsoft (recordemos de nuevo que en el último apartado del capítulo se explica cómo cerrar Windows 8 correctamente).

Supongamos que iniciamos una nueva sesión. Si visitamos otra vez la pantalla de la figura 1.20, comprobaremos que ahora oferta nuevas opciones para configurar nuestra cuenta, al igual que ocurre en la figura 1.21.

Figura 1.21. Configuración de usuarios.

- **Cambiar a una cuenta local** nos servirá para revertir el proceso anterior, de modo que nuestra configuración no se sincronizará. No parece muy aconsejable, ¿verdad?

- **Cambiar la contraseña** nos brinda la posibilidad de modificar la contraseña de nuestra cuenta Microsoft.

- **Crear una contraseña de imagen** es interesante para pantallas táctiles. Nos permite crear una imagen, combinando rectas, círculos y pulsaciones, que nos servirá de contraseña.

- **Crear un PIN** está pensado para dispositivos móviles y reemplaza la contraseña por un código de cuatro dígitos. Este método es más rápido y cómodo, desde luego, pero muy poco seguro.

- **Cambiar** anula la exigencia de contraseña para acceder a la cuenta. Mejor nos olvidamos de esta opción.

Es posible que bajo la imagen de la figura 1.21 aparezca un mensaje informándonos de la necesidad de confiar en el equipo para que las contraseñas guardadas en aplicaciones y sitios web se sincronicen. Si sucede así, activamos **Confiar en este equipo** *y se abrirá Internet Explorer para llevarnos al inicio de sesión en nuestra cuenta Microsoft. Ahí tendremos que confirmar nuestra identidad, con, por ejemplo, un correo a nuestra cuenta de correo alternativa, a la que deberemos acudir para validar un correo de confirmación.*

LAS APLICACIONES DE INTERNET

El resto de aplicaciones de la pantalla Inicio las vamos a ver a continuación y se caracterizan por ser específicas de Internet, en una doble vertiente: facilitarnos nuestra relación con el mundo virtual de las redes sociales y ofrecernos nuevas versiones de clásicas aplicaciones (explorador de Internet, correo electrónico, calendario y espacio en la nube).

Comencemos con las aplicaciones Contactos y Mensajes, que resultan particularmente interesantes si nos hemos enganchado a redes como Facebook, Messenger, Twitter, etc. ¿Pasas de todo ese contacto virtual? Es una opción, desde luego, y mucha gente decide proteger al máximo su intimidad en el ciberespacio y no tener presencia en las redes sociales. ¿Es tu caso? Entonces pasa también de estas dos aplicaciones y olvídate de ellas.

La aplicación Contactos nos sirve para gestionar nuestra lista de contactos en las redes sociales. En su página principal tenemos acceso a nuestro perfil, a las últimas notificaciones y novedades y, sobre todo, a nuestra lista de contactos.

Si queremos localizar un contacto y la lista es amplia, lo más rápido es acudir al acceso **Buscar** que, ahora, limita su búsqueda a la aplicación actual, caso de la figura 1.22.

Figura 1.22. Búsqueda de contactos.

- Una vez seleccionado un contacto, podemos escribirle un mensaje en Messenger o Facebook, enviarle un correo, mostrar su dirección en Mapas, ver su perfil, etc.

- Los diferentes comandos que, como ya sabemos, desplegamos con el botón derecho del ratón, nos permiten anclar a la pantalla Inicio un determinado contacto, calificarlo de favorito, editarlo, etc.

- Con el acceso **Configuración**, o su equivalente Windows-I, abrimos el ya conocido panel lateral, en cuya parte superior encontramos **Cuentas**, para incorporarnos a nuevas redes sociales, y **Opciones**, para ordenar y filtrar contactos.

La aplicación Mensajes nos facilita la gestión de los mensajes instantáneos que se mueven a través de nuestras cuentas en Facebook o Messenger.

En realidad, no tiene mucho más misterio. Cuando recibimos un mensaje, se abre un cuadro para responder y mediante los comandos de su parte inferior podemos eliminar una conversación, cambiar nuestro estado o invitar a otra persona.

¿Y cómo enviamos un mensaje a otra persona? En la pantalla principal de la aplicación activamos **Nuevo mensaje** y se abrirá la lista de contactos para que elijamos la persona destinataria; luego, sólo tenemos que escribir. Sencillo, ¿verdad?

En cuanto a la aplicación Calendario, su propio nombre nos indica bien a las claras que se trata de una agenda. Cuando la abrimos por primera vez, comprobamos que, al igual que sucede en la figura 1.23, ya hay una serie de eventos señalados: los cumpleaños de nuestros contactos y las fiestas nacionales de nuestro país.

- Por defecto, se presenta el calendario del mes actual y, con la rueda del ratón o las flechas laterales, podemos desplazarnos al mes anterior o posterior.

- Los comandos de la aplicación, mostrados en la figura 1.23, nos permiten mostrar el calendario por días o semanas y, además, ir directamente al día actual.

Figura 1.23. Calendario.

- **Opciones** del acceso **Configuración** nos oferta la posibilidad de cambiar los colores que identifican los diferentes eventos.

¿Y cómo añadimos un nuevo evento en el calendario? El proceso es muy sencillo:

1. Hacemos clic sobre la fecha adecuada. También podemos pulsar Control-N o utilizar el comando **Nuevo** y, luego, seleccionar la fecha.

2. En la pantalla siguiente, fijamos los detalles del evento y escribimos el texto del asunto y del mensaje; con **Mostrar más** podemos invitar a alguien de nuestra lista de contactos, fijar la privacidad del evento, etc.

3. Cuando hayamos comprobado que todo está perfecto, **Guardar este evento** lo conserva (**Cancelar** lo descarta) y nos devuelve al calendario.

4. Si queremos alterar el evento posteriormente, hacemos clic en él y estaremos de nuevo en la pantalla del paso 2, donde realizaremos las modificaciones que estimemos oportunas. Además, **Eliminar evento** nos permite borrar esa cita del calendario.

Continuemos ahora con la aplicación Correo, que es muy interesante para todas aquellas personas que utilizan el correo electrónico con asiduidad, porque facilita la gestión en un mismo entorno de diferentes cuentas de correo, incluso de otros servidores, como Google, Yahoo!, etc.

Por ejemplo, si nos fijamos en la esquina inferior izquierda de la figura 1.24, observaremos que desde la aplicación Correo se están manejando tres cuentas de correo distintas.

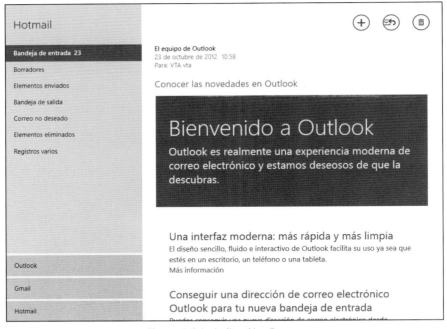

Figura 1.24. Aplicación Correo.

- En el lateral izquierdo de la aplicación encontramos las secciones típicas de todo gestor de correo (bandeja de entrada, borradores, elementos enviados, etc.), junto con las que hayamos establecido por propia iniciativa.

- Cuando leemos un correo recibido, con los botones del extremo superior derecho podemos borrarlo o responder a él, así como crear un mensaje nuevo.

- A estas alturas ya es fácil deducir que, con **Cuentas** del acceso **Configuración**, tenemos la posibilidad de agregar nuevas cuentas o modificar la configuración de una cuenta en concreto.

- Para cambiar de una cuenta de correo a otra, en la pantalla de la figura 1.24 sólo tenemos que hacer clic en el nombre de la que nos interesa.

- Como es imaginable, activando el acceso **Buscar** podremos localizar los mensajes de correo que nos interesen.

Por su parte, la aplicación SkyDrive nos permite gestionar el espacio que Microsoft nos cede por el simple hecho de tener nuestra cuenta. La capacidad de este rincón en la nube es, en el momento de escribir estas líneas, nada menos que de 25 GB por cuenta (7 GB si es nueva) y es de suponer que irá aumentando con el paso del tiempo.

Así, en nuestro espacio de SkyDrive podemos subir (cargar) archivos, tanto para compartirlos con otras personas como para conservarlos a salvo y tenerlos accesibles desde cualquiera de nuestros otros dispositivos.

Cuando accedemos a SkyDrive se nos presentan, como sucede en la figura 1.25, las diferentes carpetas y archivos que hemos guardado en nuestro espacio con anterioridad.

- Si hacemos clic con el botón derecho en una zona vacía de la pantalla, disponemos de comandos para actualizar el contenido, crear una nueva carpeta, cargar archivos, ver detalles de los archivos en lugar de su miniatura y seleccionar todo el contenido de la carpeta actual.

Figura 1.25. Aplicación SkyDrive.

- Podemos seleccionar un elemento sin más que hacer clic con el botón derecho sobre él; repitiendo el proceso anulamos la acción. Lógicamente, es posible seguir seleccionando más elementos del mismo modo.

- Al seleccionar una carpeta, surgen nuevos comandos para anular la selección y suprimirla. Cuando seleccionamos archivos, además dispondremos de comandos para descargarlos en nuestro equipo o abrirlos.

- Cuando descarguemos archivos, tendremos que indicar la carpeta del equipo donde se van a copiar. Esos archivos permanecerán también en nuestro SkyDrive después de la descarga.

- Si hacemos clic sobre una carpeta, accedemos a su contenido. ¿Y si lo hacemos sobre un elemento? Pues lo abrimos con la aplicación correspondiente: una fotografía con Fotos, una canción con Música, etc.

- Con **Opciones** del acceso **Configuración** vemos cómo está de abarrotado nuestro rincón en la nube.

Claro que todavía nos falta lo más importante; es decir, ¿cómo subimos archivos a nuestro espacio en SkyDrive? El proceso es muy sencillo:

1. Donde nos interese, creamos una carpeta nueva con el comando **Nueva carpeta**.

2. Entramos en la carpeta que acabamos de crear y activamos el comando **Cargar**.

3. Nos desplazamos por nuestro equipo para localizar los archivos a copiar en SkyDrive y los seleccionamos con un clic.

4. Hacemos clic en **Agregar a SkyDrive**. Sólo resta esperar a que los archivos se copien en la carpeta especificada, proceso que puede durar más o menos en función del tamaño de los archivos y de la rapidez de nuestra conexión a Internet.

¿Imaginas qué debemos hacer para compartir un elemento alojado en SkyDrive con otras personas? ¡En efecto! Una vez seleccionado, acudir al acceso **Compartir***.*

Ahora es el turno de centrarnos en Internet Explorer y lo primero que debemos saber es que Windows 8 lo oferta en dos modalidades: la aplicación Internet Explorer, que vamos a ver a continuación, e Internet Explorer para el escritorio, que trataremos en un capítulo posterior.

¿Es que hay alguna diferencia entre ambas modalidades? ¡Desde luego! La aplicación Internet Explorer nos brinda una experiencia de navegación por el ciberespacio mucho más gratificante, visualmente hablando; sin embargo, carece de una serie de cosas habituales en versiones anteriores: barras de herramientas, complementos, favoritos tradicionales, vista compatibilidad, etc. En otras palabras, cuando necesitemos alguna de estas prestaciones, deberemos acudir a Internet Explorer para el escritorio.

Basta hacer clic en el mosaico **Internet Explorer** para abrir la ventana de nuestro explorador y, en principio, tenemos toda la pantalla disponible para ir viendo la página, salvo la zona inferior, que se oculta si hacemos clic en una zona vacía de la página.

Para movernos por Internet hacemos lo de siempre, activar un enlace o escribir la dirección de destino en la barra inferior que, si no está visible, la mostramos haciendo clic con el botón derecho del ratón. En este último caso, también aparecen los comandos y, en la parte superior, la zona de pestañas, al igual que sucede en la figura 1.26.

Figura 1.26. Aplicación Internet Explorer.

- Los botones laterales de la zona inferior nos permiten desplazarnos a la página anterior o posterior. Además, si colocamos el ratón en los laterales de la pantalla, surgirán dos botones que tienen la misma finalidad.

- Siguiendo en la parte inferior, **Anclar sitio** incluye la opción de guardar la página actual entre nuestras favoritas y **Herramientas de página** nos ofrece la posibilidad de buscar una secuencia de caracteres en la página, algo de sumo interés si contiene mucho texto, y también ver la página desde la modalidad de Internet Explorer para el escritorio.

- Al hacer clic en la dirección, se nos ofertan las direcciones más habituales, junto con las guardadas en favoritos.

- La parte superior de la pantalla de Internet Explorer corresponde a las pestañas, como vemos en la figura 1.26; los botones de su derecha nos permiten crear una nueva pestaña y, el inferior, crear una nueva en modo anónimo y suprimir las otras pestañas. Como es previsible, para cambiar de una pestaña a otra, sólo tenemos que hacer clic en la miniatura de la que nos interesa.

Opciones de Internet *del acceso* **Configuración** *nos ofrece, entre otras cosas, la posibilidad de borrar el historial de exploración y un control deslizante para ajustar el zoom de visión.*

¿Qué tal si dedicas un rato a navegar por el ciberespacio con el nuevo Internet Explorer y compruebas todo cuanto hemos visto?

¿Ya has terminado? Entonces sigamos con la última aplicación predefinida de la pantalla Inicio, que corresponde al buscador de Microsoft: Bing.

En realidad, siempre podemos ir a Bing desde Internet Explorer, ya sea escribiendo su dirección (www.bing.com) o mediante el acceso **Buscar**. Sin embargo, cuando nos interesa buscar sólo páginas o imágenes, el mosaico **Bing** nos brinda una interfaz mucho más atractiva y cómoda de manejar, sobre todo en dispositivos portátiles.

En la figura 1.27 observamos un ejemplo de búsqueda de imágenes realizada con el mosaico **Bing**. Podemos utilizar la barra de desplazamiento inferior para movernos entre la serie de imágenes encontradas; si hacemos clic en una de ellas, se muestra ampliada y se adjunta el enlace para ir a la página donde está ubicada.

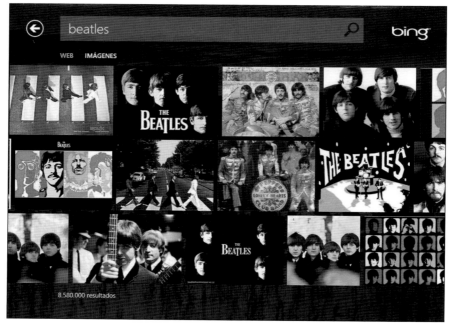

Figura 1.27. Búsqueda de imágenes con Bing.

PERSONALIZAR LA PANTALLA INICIO

Teniendo en cuenta que vamos a desenvolvernos por la pantalla Inicio con bastante asiduidad, es interesante ajustarla a nuestros gustos, tanto por razones estéticas como de comodidad en el trabajo.

Comencemos con los mosaicos que, como ya sabemos, aparecen agrupados.

- Para cambiar la posición de un mosaico, sólo tenemos que hacer clic en él y arrastrarlo hasta el lugar deseado. Si lo llevamos hasta un espacio abierto y lo soltamos cuando aparezca una columna gris, creamos un nuevo grupo.

- Si hacemos clic con el botón derecho sobre un mosaico, disponemos en la parte inferior de varios comandos, como los mostrados en la figura 1.28. Con ellos podemos quitar el mosaico de la pantalla Inicio, desinstalar su aplicación, hacerlo más pequeño (y después, más grande) o desactivar su acción dinámica.

Figura 1.28. Comandos de un mosaico.

- Recordemos que la combinación **Control** y las teclas - y + (o la rueda del ratón) varía la escala de visión de los mosaicos. Cuando está reducida, vemos los diferentes grupos y podemos reorganizarlos sin más que arrastrarlos; además, al hacer clic sobre un grupo con el botón secundario del ratón tenemos la posibilidad de asignarle un nombre.

Por ejemplo, en la figura 1.29 se presenta una pantalla Inicio donde algunos mosaicos están desplazados y un par de grupos están encabezados por su nombre.

El único problema es qué hacer si hemos quitado una aplicación de la pantalla Inicio y deseamos que aparezca de nuevo. La solución es muy sencilla:

1. Buscamos la aplicación que nos interesa, bien manualmente en la lista de aplicaciones o mediante el acceso **Buscar**.

2. Desplegamos sus comandos y activamos **Anclar a Inicio**. Luego, ubicamos el mosaico donde mejor nos parezca.

También podemos utilizar el procedimiento anterior para colocar en la pantalla Inicio el mosaico de cualquier accesorio o programa instalado: WordPad, Paint, etc.

Figura 1.29. Grupos de mosaicos con nombres.

Como ya sabemos, con **Cambiar configuración de PC** del acceso **Configuración** abrimos la pantalla de configuración. Ahora nos interesa quedarnos en **Personalizar** de su lateral izquierdo y pasar a su opción **Pantalla Inicio**, que vemos en la figura 1.30.

Las posibilidades que se nos ofrecen no son muchas, la verdad. En realidad, sólo seleccionar las líneas que amenizan la pantalla (con uno de los cuadros inferiores) y la combinación de colores (arrastrando el deslizador inferior). ¡Menos da una piedra!

Otro detalle de índole estética es la imagen de nuestra cuenta, que se coloca en la esquina superior derecha de la pantalla Inicio. Por defecto es la misma que tenemos en nuestra cuenta Microsoft, pero mediante la opción **Imagen de cuenta** de la figura 1.30 podemos cambiarla:

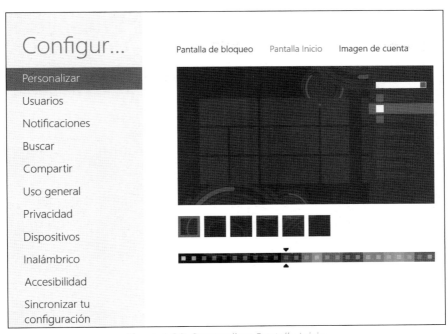

Figura 1.30. Personalizar Pantalla Inicio.

- Para colocar como imagen una ya guardada, sólo tenemos que localizarla con **Examinar** y, luego, hacer clic en **Elegir imagen**.

- Con **Cámara** podemos sacarnos una fotografía con la webcam que, luego, colocaremos como nuestra imagen.

La opción **Pantalla de bloqueo** de la figura 1.30 nos permite sustituir la imagen que se muestra al bloquear el equipo, bien por una de las ofertadas en la galería o por una propia, que buscaremos con **Examinar**. Con esta opción también podemos seleccionar qué aplicaciones se siguen ejecutando aunque la pantalla esté bloqueada.

Salir de Windows 8

Cuando vayamos a dejar de utilizar nuestro equipo, nunca debemos pulsar durante unos cinco segundos el interruptor del PC o desconectar el equipo de la corriente. ¡Nunca!

Siempre, y recalcamos lo de siempre, apagaremos el ordenador siguiendo los pasos que detallamos a continuación. En caso contrario, nos arriesgamos a perder información y ocasionar errores en el equipo.

1. Desplegamos la barra de accesos y vamos a **Configuración** (recordemos que lo abrimos directamente con Windows-I).

2. En su parte inferior, activamos **Iniciar/Apagar**.

3. Hacemos clic en **Apagar** y esperamos a que el equipo se apague. Si hubiésemos optado por **Reiniciar**, se cerraría Windows 8 y volvería a arrancar el equipo; algo que a veces es necesario hacer cuando instalamos algún programa o añadimos algún componente físico.

Además de estas dos opciones, Windows 8 nos ofrece otras alternativas para terminar nuestra sesión de trabajo actual.

- **Cambiar de usuario** y **Cerrar sesión** tienen interés cuando hay varias cuentas de usuario en un mismo equipo, algo que veremos en un capítulo posterior.

- **Bloquear** cierra nuestro entorno de trabajo hasta que lo desbloqueamos introduciendo nuestra contraseña. Resulta útil para evitar que alguien acceda a nuestros datos cuando abandonamos el equipo para ir a tomar café, acudir a una reunión, etc.

¿Y cómo efectuamos cualquiera de estas tres últimas acciones? Si estamos en la pantalla Inicio, sólo tenemos que hacer clic en nuestra imagen. Se abrirá el menú de la figura 1.31 y ahí, además de la posibilidad de cambiar nuestra imagen, se nos ofertan las tres acciones citadas.

Cambiar imagen de cuenta

Bloquear

Cerrar sesión

Aurora Conde

Figura 1.31. Alternativas de sesión.

Otra posibilidad, más potente, es pulsar **Control-Alt-Supr**. No sólo nos presenta las tres opciones anteriores, sino que en su esquina inferior derecha encontramos un botón con el que podemos apagar o reiniciar el equipo. ¡Más completo imposible!

Sin movernos del escritorio también podemos llevar a cabo casi todas las acciones comentadas, si bien antes es necesario cerrar todas las aplicaciones abiertas en él. Después, con Alt-F4 abrimos una ventana donde podemos seleccionar qué nos interesa hacer: apagar, reiniciar, cambiar de usuario o cerrar sesión.

El escritorio,
las ventanas y las carpetas

Olvidémonos por ahora la pantalla Inicio y pasemos al escritorio, que será nuestra estancia en múltiples ocasiones. Como ya sabemos, para ir a él podemos activar el mosaico **Escritorio**, si estamos en la pantalla Inicio, o pulsar Windows-D, en cualquier sitio.

Enseguida tendremos en pantalla nuestro escritorio, que pretende simular el aspecto de una atractiva mesa de trabajo; eso sí, en plan minimalista, ya que en principio contiene muy pocas cosas:

Figura 2.1. Un escritorio minimalista.

- El icono de la papelera. ¿Y qué es un icono? Pues un pequeño dibujito que representa una carpeta, un documento, etc. ¿Y la papelera? Como su nombre indica, donde se tiran las cosas (ya la analizaremos más adelante).

- La barra de tareas, que ocupa la parte inferior de la pantalla. A su izquierda vemos los botones del Explorador de archivos e Internet Explorer; a su lado se irán colocando los botones de las aplicaciones de escritorio que vayamos abriendo. El lateral derecho de la barra de tareas lo conforma el área de notificación, que incluye el reloj y diversos iconos informativos (sobre la red, altavoces, etc.).

Seguidamente vamos a centrarnos en todos esos elementos, pero antes es aconsejable comentar unos detalles sobre los nombres de archivos y carpetas.

Con objeto de mantener bien organizada la información almacenada en el equipo, los archivos se guardan en carpetas, cada una de las cuales puede contener otras carpetas con archivos... y, así, sucesivamente.

Para evitarse líos con tanto archivo y carpeta, Windows 8 nos exige que los nombres de los elementos sean distintos. ¿Y si están en distintas carpetas también? Entonces no, desde luego.

Una cosa es el nombre de un elemento que vemos en pantalla y otra su nombre interno, que es el anterior precedido por la ruta (path en inglés) que debemos seguir para llegar a él. Este nombre interno es el que sí ha de ser diferente para todos los elementos. ¿Aclarada la cuestión?

¿Y eso de la ruta nos afecta de alguna manera? En nada, realmente, si adoptamos una precaución mínima. Como Windows 8 limita los nombres de los archivos o carpetas a algo más de doscientos caracteres y su ruta de acceso ya ocupa unos cuantos caracteres, mejor nos olvidamos de poner nombres larguísimos a nuestros archivos o carpetas. ¿De acuerdo?

Otro asunto a tener en cuenta cuando nos referimos a un archivo es su tipo, que lo caracteriza de alguna manera; por ejemplo, en las fotografías el tipo más habitual acostumbra ser jpeg, en los documentos de WordPad es rtf, etc.

Claro que mucha gente ni siquiera tiene noción de la existencia de los tipos, porque Windows 8 los oculta por defecto cuando se trata de archivos conocidos, para así facilitarnos la lectura de su nombre. En cualquier caso, aunque no lo veamos, no olvidemos que el tipo del archivo siempre está ahí.

En resumen, no podremos almacenar en una misma carpeta dos archivos con idéntico nombre, salvo que sean de distinto tipo; por ejemplo, una carpeta puede contener un documento y una imagen con el mismo nombre, puesto que sus tipos son diferentes. ¿Y si queremos guardar archivos de igual nombre y tipo en carpetas distintas? Entonces no hay ningún problema, porque Windows 8 no puede confundirlos, al ser sus nombres internos diferentes.

LAS VENTANAS DE WINDOWS 8

La traducción de la palabra inglesa *windows* a nuestro idioma es "ventanas", puesto que la comunicación con nuestro equipo tiene lugar a través de ventanas.

¿Y qué es en realidad una ventana? Simplemente un recuadro rectangular donde visualizamos cierta información: el contenido de una carpeta, el texto de un documento, imágenes, la ejecución de un programa, etc. Por ejemplo, la figura 2.2 muestra varias ventanas abiertas en el escritorio; las dos superiores corresponden a dos carpetas abiertas y las inferiores a dos aplicaciones.

¿Y cómo abrimos una ventana? Algunas lo hacen automáticamente, cuando activamos una aplicación; sin embargo, las correspondientes a las carpetas debemos abrirlas manualmente ¿Y cómo llevamos a cabo esta acción? Por defecto tenemos que hacer doble clic sobre su icono; ya veremos más adelante que Windows 8 también nos da la posibilidad de configurarlo para abrir las carpetas mediante sólo un clic.

En todas las ventanas encontramos una serie de elementos comunes y es conveniente saber diferenciarlos, para no liarnos con la terminología a lo largo del libro, y también conocer su utilidad, para ahorrarnos el máximo de trabajo posible.

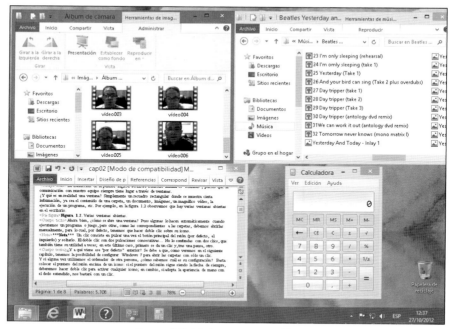

Figura 2.2. Varias ventanas abiertas.

Un clic consiste en pulsar una vez el botón principal del ratón (por defecto, el izquierdo) y soltarlo. El doble clic son dos pulsaciones consecutivas. Eso sí, no lo confundas con dos clics, que también tiene su utilidad a veces; en este último caso, primero se da un clic y, tras una pausa, otro.

Como se supone que todavía no hemos utilizado el escritorio, utilizaremos como modelo la ventana de la figura 2.3, que es la mostrada por el Explorador de archivos al ser activado.

Iniciemos nuestro recorrido descriptivo de las ventanas comenzando por la barra de título, que está situada en la parte superior de la ventana; es ahí donde aparece el nombre de la carpeta abierta o de la aplicación y del archivo que estemos procesando en ese momento. Incluye varios botones en sus laterales:

Figura 2.3. Ventana abierta.

- A su izquierda está la barra de acceso rápido que, por defecto, muestra los botones **Propiedades** y **Nueva carpeta** que nos ofrecen información sobre el elemento seleccionado y la opción de crear un carpeta, dentro de la actual. Inmediatamente a su derecha, encontramos un botón para personalizar a nuestro gusto la barra de acceso rápido. Por ejemplo, si nos despistamos a menudo es muy aconsejable añadir el botón **Deshacer** para corregir fácilmente nuestros errores.

- En el lateral derecho de la barra de título encontramos tres botones (**Minimizar**, **Maximizar**/**Minimiz. tamaño** y **Cerrar**) para realizar las operaciones más habituales con ventanas (enseguida iremos con ellas).

Para averiguar el nombre de un botón, sólo tenemos que colocar el puntero sobre él y esperar unos instantes. Su nombre se mostrará en un recuadro.

Debajo de la barra de título, en las ventanas correspondientes a carpetas aparece la cinta que, por defecto, está minimizada. Esta cinta ha sustituido a las clásicas barras de menú y herramientas que surgían en versiones anteriores de Windows, y mediante ella podemos realizar fácilmente las acciones más comunes: copiar o mover elementos, verlos de una u otra forma, etc.

Como observamos en la figura 2.4, donde se muestra desplegada una cinta, ésta incluye una serie de pestañas (**Inicio**, **Compartir**, **Vista**, etc.), cada una de las cuales contiene botones relativos a la actividad que da nombre a la pestaña, organizadas en diferentes grupos, para que resulte fácil y cómodo hacer lo que deseemos.

Figura 2.4. Cinta abierta.

*No todas las opciones existentes se muestran por defecto en la cinta. Algunas sólo aparecen cuando realizamos una determinada acción; por ejemplo, si tenemos una carpeta con imágenes, nos surgirá una nueva pestaña, **Herramientas de imagen**, con botones para manejarlas.*

Como es lógico, no tiene sentido que describamos ahora la utilidad de cada opción de cada pestaña, de modo que las dejamos de lado por el momento y ya retornaremos a ellas cuando las necesitemos.

¿Y cómo expandimos la cinta? Y qué es preferible, ¿dejarla así o minimizarla? Pues todo depende. Si la abrimos tenemos rápido acceso a sus botones, pero a costa de ocupar parte del espacio del área de trabajo.

En cualquier caso, es tan fácil el cambio de modalidad en la cinta que no merece la pena preocuparse por este tema. Así, para expandir o contraer la cinta, Windows 8 nos oferta varias alternativas, que nos pasan de una presentación a otra de la cinta:

- Hacer doble clic en el nombre de una pestaña cualquiera.

- Pulsar **Control-F1**.

- Hacer clic en el botón situado en la esquina superior derecha de la cinta.

Si hemos optado por trabajar con la cinta minimizada, cuando necesitemos mostrar una pestaña momentáneamente, para acceder a las herramientas de uno de sus grupos, sólo tenemos que hacer clic en su nombre.

Sigamos con el entorno común a las ventanas de las carpetas. Justo debajo de la cinta se muestra una breve sección alargada, que contiene unos interesantes elementos que nos facilitan el desplazamiento por las carpetas y subcarpetas, algo muy útil si, como sucede por defecto, se abren las subcarpetas encima de las carpetas, ocupando así una única ventana.

- Con el botón **Atrás** retrocedemos a la carpeta anteriormente visitada y con **Adelante** accedemos a la siguiente. Cuando está operativo el botón **Ubicaciones recientes**, haciendo clic en él desplegamos las últimas carpetas abiertas en la ventana, para ir a cualquiera de ellas rápidamente. A su derecha, el botón **Subir** nos lleva a la carpeta que contiene a la carpeta actual.

- En la barra de direcciones aparece el nombre de la carpeta actual, precedido por los nombres de la carpeta que la contiene, la que contiene a esta, y así sucesivamente; en otras palabras, se muestra la ruta (*path*) de acceso a la carpeta. Si hacemos clic en el nombre de una carpeta de la barra de direcciones, la abrimos; además, al igual que sucede en la figura 2.5, los separadores con forma de flecha que hay entre los nombres de las carpetas nos facilitan el acceso a las subcarpetas de la carpeta situada a la izquierda de la flecha separadora activada. ¡Menudo galimatías!

Figura 2.5. Otras subcarpetas.

Por último, a la izquierda de la ventana tenemos el Panel de navegación, con diversos enlaces que nos llevan directamente a determinadas carpetas. ¿Y la barra de desplazamiento lateral? Sólo aparece cuando el tamaño de la ventana no permite presentar todo su contenido. Si pulsamos los botones de sus extremos nos movemos por la ventana paso a paso; en cambio, si arrastramos con el ratón el rectángulo interior (cuadro de desplazamiento), ganamos en rapidez.

Arrastrando la línea que separa el Panel de navegación y el contenido de la carpeta, podemos ajustar ambas zonas al tamaño que prefiramos. ¿Y cómo arrastramos un objeto? Hacemos clic sobre él y, manteniendo pulsado el botón, movemos el ratón; el objeto se desplazará en el mismo sentido que el ratón, mientras no soltemos el botón.

OPERACIONES CON VENTANAS

Ya conocemos bastante bien los elementos comunes a las ventanas y, por tanto, es el turno de centrarnos en las operaciones más habituales que realizaremos con ventanas. Eso sí, debemos tener presente que todas ellas afectan exclusivamente a su presentación en pantalla, no a su contenido. Por ejemplo, si cerramos la ventana de una carpeta, desaparecerá la ventana del escritorio; sin embargo, los archivos que contuviera la carpeta, seguirán almacenados en ella.

Antes de seguir, no obstante, vamos a crear algunas carpetas en el escritorio, aunque no metamos nada en ellas por el momento, ya que así comprobaremos mejor el efecto de las acciones que veremos a continuación.

El camino más rápido para crear una carpeta en el escritorio es hacer clic con el botón derecho del ratón en una zona vacía; desplegamos así el menú contextual y, en **Nuevo**, ejecutamos **Carpeta**. Nada más crearla, caso de la figura 2.6, teclearemos su nombre.

Figura 2.6. Carpeta recién creada.

Si nos interesa crear una subcarpeta dentro de una carpeta, podemos seguir el proceso anterior. También conseguimos lo mismo con el botón Nueva carpeta, que está tanto en la barra de acceso rápido como en la pestaña **Inicio** *de la cinta.*

Pasemos ya al manejo de las ventanas y comencemos con una de las operaciones más habituales: minimizar una ventana, que la oculta momentáneamente, aunque sigue abierta y su botón aparece en la barra de tareas. Luego, haciendo clic en ese botón, la ventana recobra su tamaño y ubicación anteriores.

¿Y cómo minimizamos una ventana? Pues con un simple clic en el botón **Minimizar** de la barra de título o en el botón de la barra de tareas correspondiente a esa ventana.

¿Y si queremos minimizar varias ventanas simultáneamente? También disponemos de varias alternativas, ¡faltaría más!

- Si tenemos varias ventanas abiertas y nos interesa minimizar todas salvo la actual, hacemos clic en su barra de título y agitamos el ratón; repitiendo el proceso, volvemos a ver las ventanas minimizadas. **Windows-Inicio** tiene el mismo efecto, pero no resulta tan divertido, ¿verdad?

- En el extremo derecho de la barra de tareas hay un pequeño botón rectangular, **Mostrar escritorio**, que casi no se ve, porque cuando llevamos el puntero del ratón allí enseguida surge la barra de accesos. A pesar de ello, si hacemos clic en él minimizamos todas las ventanas del escritorio; con un nuevo clic las ventanas recuperan la posición y el tamaño que tenían antes. La combinación **Windows-D** realiza la misma función.

Decimos que una ventana está maximizada cuando ocupa la totalidad de la pantalla, salvo el espacio reservado a la barra de tareas (si está visible). Para maximizar una ventana, Windows 8 también nos ofrece varios caminos:

- Hacer clic en el botón **Maximizar**. Después, recuperamos su tamaño original con el botón **Minimiz. tamaño**, que sustituye al anterior cuando la ventana está maximizada.

- Sin más que hacer doble clic sobre la barra de título de la ventana la maximizamos. Con otro doble clic la restauramos.

- Si pulsamos la combinación **Windows-Flecha Arriba** la ventana se maximiza; con **Windows-Flecha Abajo** recupera su anterior tamaño y ubicación.

- Si desplazamos la barra de título de una ventana a la parte superior de la pantalla, se maximiza al soltar el ratón. Con un doble clic en la barra de título la restauramos.

¿Y cómo modificamos manualmente el tamaño de una ventana? Basta con situar el puntero en uno de sus laterales o esquinas, hasta que se transforme en una doble flecha, como las mostradas en la figura 2.7. Entonces, pulsamos el botón principal del ratón y lo arrastramos hasta que el tamaño de la ventana sea de nuestro agrado.

Figura 2.7. Diversos punteros para variar el tamaño de la ventana.

Cuando deseemos cambiar de lugar una ventana, sólo tenemos que hacer clic en su barra de título y arrastrarla hasta la posición que nos apetezca. Después, soltamos el botón del ratón.

Claro que también podemos dejar que Windows 8 se encargue de organizar automáticamente las ventanas: en cascada o apiladas verticalmente o en paralelo. Por ejemplo, en la figura 2.8 vemos la clásica organización de ventanas en cascada.

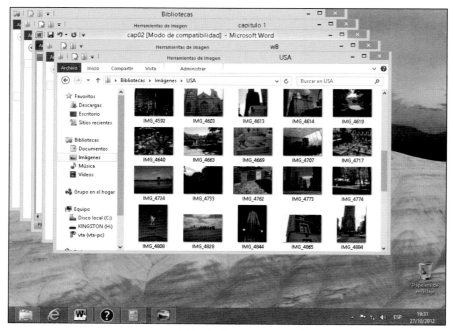

Figura 2.8. Ventanas en cascada.

Para realizar esta tarea hacemos clic con el botón secundario del ratón (el derecho, por defecto) en una zona vacía de la barra de tareas. Se abre así su menú contextual, similar al presentado en la figura 2.9, donde escogemos la organización que más nos guste.

¿Y si no nos acaba de convencer? Desplegamos de nuevo el menú contextual y ahí encontraremos el comando que deshace la organización elegida.

Por último, si cerramos una ventana se liberan todos los recursos del sistema que estuviese consumiendo y su botón desaparece de la barra de tareas.

¿Y cómo cerramos una ventana? Pues también disponemos de varias alternativas: hacer clic en el botón Cerrar de la barra de título, pulsar la combinación Alt-F4 o, si se trata de una carpeta, con Cerrar de la pestaña **Archivo**.

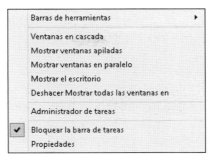

Barras de herramientas	▶
Ventanas en cascada	
Mostrar ventanas apiladas	
Mostrar ventanas en paralelo	
Mostrar el escritorio	
Deshacer Mostrar todas las ventanas en	
Administrador de tareas	
✔ Bloquear la barra de tareas	
Propiedades	

Figura 2.9. Menú contextual de una zona vacía de la barra de tareas.

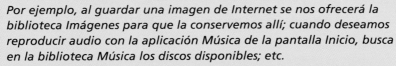

Cuando abrimos el *Explorador de Windows* (recordemos la figura 2.3) nos muestra una carpeta un tanto peculiar: **Bibliotecas**. ¿Y qué son las bibliotecas de Windows 8? Pues una forma cómoda de gestionar las carpetas, para facilitarnos la organización de nuestros archivos de texto, sonoros, gráficos, etc.

Por ejemplo, al guardar una imagen de Internet se nos ofrecerá la biblioteca Imágenes para que la conservemos allí; cuando deseamos reproducir audio con la aplicación Música de la pantalla Inicio, busca en la biblioteca Música los discos disponibles; etc.

En realidad, una biblioteca viene a ser similar a una carpeta, con la salvedad de que sus elementos pueden estar guardados en sitios diferentes. Es decir, podemos incluir en una biblioteca archivos que están en otras ubicaciones, como los almacenados en una carpeta situada en el escritorio, en otro disco, etc.

Tan útiles resultan las bibliotecas que tenemos un enlace a ellas en el Panel de navegación de cualquier carpeta que abramos.

Ahora bien, ¿cómo agregamos el contenido de una carpeta a una biblioteca? Lo más cómodo y rápido es desplegar el menú contextual del icono de la carpeta (haciendo clic sobre él con el botón secundario del ratón, el derecho por defecto) y con **Incluir en biblioteca** seleccionamos la biblioteca que nos interesa.

¿Y cómo eliminamos una carpeta de una biblioteca (sin borrar su contenido, claro está)? Simplemente la seleccionamos con un clic en el Panel de navegación y, a continuación, pulsamos Supr o ejecutamos **Quitar ubicación de la biblioteca** de su menú contextual.

CAMBIAR DE VENTANA

Cuando tenemos abiertas en el escritorio varias ventanas, con diferentes aplicaciones, es evidente que resulta muy interesante poder ir fácilmente de una a otra; sin embargo, a veces es bastante lioso pasar manualmente de la ventana activa a otra. Por este motivo, Windows 8 nos ofrece varias alternativas para efectuar el cambio de una a otra ventana.

La primera ya la conocemos del capítulo anterior. La combinación **Alt-Tab** nos abre una ventana, análoga a la mostrada en la figura 2.10, con todas las aplicaciones abiertas, incluyendo los programas abiertos en el escritorio y las carpetas. La variación **Control-Alt-Tab** despliega dicha ventana para que nos movamos con los cursores.

Figura 2.10. Aplicaciones y ventanas abiertas.

Más cómodo resulta acudir a la barra de tareas ya que, cuando se abre una ventana, aparece su correspondiente botón en ella. Sólo tenemos que hacer clic en él para situar en primer plano su ventana.

¿Y si tenemos muchos botones en la barra de tareas? Pues entonces no siempre resulta sencillo recordar qué ventana interesa en un momento dado. Por este motivo, si colocamos el puntero sobre un botón, Windows 8 muestra una miniatura de la ventana correspondiente, como en la figura 2.11, y así es sencillo saber de qué ventana se trata.

WINDOWS-T NOS DESPLAZA POR LOS BOTONES DE LA BARRA DE TAREAS.

El escritorio, las ventanas y las carpetas

Figura 2.11. Miniatura de una ventana abierta.

Además, y para aprovechar mejor el espacio, Windows 8 agrupa en un mismo botón todas las ventanas de una misma aplicación (cuando se trata de carpetas es el Explorador de archivos). En este caso, haciendo clic en ese botón múltiple, desplegamos las miniaturas de todas las ventanas abiertas, como en la figura 2.12, y localizamos la que andamos buscando.

Figura 2.12. Hay abiertas varias carpetas.

PERSONALIZAR LAS CARPETAS

En este apartado veremos algunas posibilidades interesantes que nos oferta Windows 8 para personalizar las carpetas. Las primeras opciones van a servirnos para decidir cómo se presenta en pantalla el contenido de la carpeta y sólo afectan a la carpeta actual; en cambio, las opciones de carpeta posteriores serán comunes para todas las carpetas.

Para configurar cómo vemos el contenido de una carpeta, lo más rápido y sencillo es acudir a la pestaña **Vista** de la cinta. Por ejemplo, en el grupo **Paneles**, junto al Panel de navegación (¡éste siempre debería estar visible!) disponemos de botones para decidir si presentamos u ocultamos los paneles de vista previa o de detalles.

Como observamos en la figura 2.13, el Panel de vista previa nos muestra la imagen seleccionada (o el texto del documento, etc.) y su comodidad es manifiesta para localizar archivos, aunque tiene el inconveniente de ocupar parte de la ventana. En cuanto al Panel de detalles, similar al anterior, nos presenta información relativa al elemento seleccionado.

Figura 2.13. Panel de vista previa a la derecha.

¿Dejamos visible el Panel de vista previa o el Panel de detalles? Hay gente que prefiere ocultarlos para liberar espacio en las ventanas de las carpetas y, de esta forma, ver mejor los iconos contenidos en ellas… pero todo es cuestión de gustos, como siempre. En cualquier caso, recordemos que una vez establecido el diseño de una carpeta, éste se mantiene hasta que lo cambiemos. Es decir, si cerramos la carpeta y volvemos a abrirla, comprobaremos que sólo aparecen los paneles que hayamos seleccionado con anterioridad en ella.

*Si desplegamos el menú contextual de una carpeta, haciendo clic sobre ella con el botón secundario del ratón, **Anclar a Inicio** coloca un mosaico con el nombre de la carpeta en la pantalla Inicio. Al activarlo pasamos al escritorio, donde tendremos abierta la carpeta.*

Otro aspecto que Windows 8 nos permite personalizar es la forma en que se muestran los iconos de la carpeta; de hecho, en las capturas de pantalla que han ido apareciendo en el libro, hemos podido observar los iconos a diferentes tamaños, en forma de lista, con detalles adicionales o no, etc.

¿Y cómo seleccionamos la vista que preferimos para nuestra carpeta? Pues con los botones del grupo **Diseño** de la pestaña **Vista** de la cinta o con **Ver** del menú contextual de una zona vacía de la carpeta.

En la figura 2.14 vemos todas las vistas disponibles (haciendo clic en el botón Más de la esquina inferior derecha) y sólo tenemos que situar el puntero sobre una de ellas para apreciar su efecto.

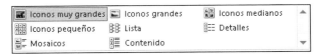

Figura 2.14. Vistas de carpeta.

Como ya sabemos, por defecto el contenido de cualquier subcarpeta que abramos se presenta en la misma ventana y se exige un doble clic para abrir la carpeta; sin embargo, Windows 8 también nos permite cambiar fácilmente estas características, mediante el cuadro de diálogo de la figura 2.15. Eso sí, tengamos en cuenta que las modificaciones que establezcamos se aplicarán a todas las carpetas, no sólo a la actual.

1. Abrimos una carpeta cualquiera y, en la pestaña **Vista** de la cinta, hacemos clic en el botón Opciones y, luego, en Cambiar opciones de carpetas y búsqueda.

Figura 2.15. *Opciones de carpeta.*

2. Accedemos al cuadro de diálogo de la figura 2.15, cuya ficha **General** es la que nos interesa ahora. En **Examinar carpetas** y **Acciones al hacer clic en un elemento** activamos los botones de opción correspondientes a nuestra elección. El botón Restaurar valores predeterminados nos permite restablecer la configuración inicial de Windows 8.

3. Con el botón Aceptar cerramos el cuadro de diálogo y, a partir de ese momento, todas las carpetas se abrirán según la configuración que hayamos establecido… hasta que decidamos volver a cambiarla.

Si las carpetas se abren en la misma ventana y, en un momento dado, nos interesa abrir una subcarpeta en otra ventana, basta hacer doble clic en ella manteniendo pulsada la tecla Control.

Cuando se te presente alguna duda y no tengas a mano este libro para resolverla, recuerda siempre lo útil que resulta el acceso **Buscar**. Por ejemplo, imagina que dentro de un tiempo quieres activar los elementos no con un doble clic sino sólo con uno y, por desgracia, has olvidado el procedimiento anterior. ¿Qué haces entonces? Pues acudir a **Configuración** del acceso **Buscar** o pulsar Windows-W. Si introduces como criterio de búsqueda opciones de carpeta, enseguida dispondrás de un acceso para abrir el cuadro de diálogo **Opciones de carpeta**.

Claro que es muy posible que tampoco recuerdes el nombre del cuadro de diálogo, ¿verdad? Pero si quieres hacer algo, es evidente que debes saber más o menos de qué se trata y, con esa pequeña pista, Windows 8 puede emular a Sherlock Holmes. Por ejemplo, en nuestro supuesto, bastaría con escribir doble clic como criterio de búsqueda.

Podemos comprobar, en la figura 2.16, que Windows 8 es un hábil detective y ha sabido encontrar el acceso que andábamos buscando. ¡Asombroso!

Figura 2.16. Para cambiar el doble clic.

PERSONALIZAR EL ESCRITORIO

Como vamos a pasar mucho tiempo viendo el escritorio, parece lógico configurarlo a nuestro gusto, ¿no crees? Esta tarea la llevaremos a cabo desde la ventana de la figura 2.17. La abrimos haciendo clic con el botón secundario del ratón (el derecho, por defecto) en cualquier zona vacía del escritorio y ejecutando **Personalizar**... y si se nos olvida este camino, siempre nos queda el truco mágico de pulsar Windows-W y buscar lo que nos interesa.

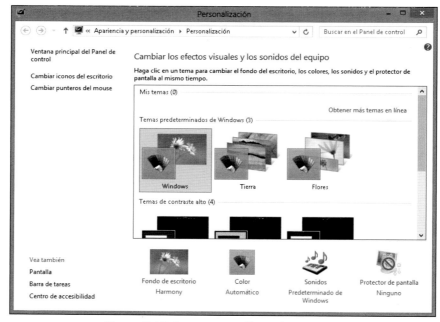

Figura 2.17. Para personalizar el escritorio.

En el lateral izquierdo de la ventana de personalización, si activamos **Cambiar iconos del escritorio** *abrimos una ventana donde podemos cambiar los iconos visibles en el escritorio.*

A continuación, vamos a ir viendo las diferentes opciones que aparecen en la figura 2.17, con la salvedad de **Sonidos** (el audio lo veremos en un capítulo posterior).

Comencemos con los temas de escritorio de los que se nos ofrecen varios ejemplos e, incluso, la posibilidad de obtener más en línea. ¿Y qué es un tema? Simplemente un conjunto de elementos (fondo, colores de ventanas, etc.), que le dan una apariencia homogénea y global al escritorio. ¿Y cómo cambiamos de tema? Sólo debemos hacer clic en el que nos apetezca.

Claro que, una vez elegido un tema, si cambiamos algunas de sus características (fondo, protector de pantalla, etc.), tal y como veremos seguidamente, tendremos la posibilidad de conservar las modificaciones (con el botón Guardar cambios). En este caso, en la sección **Mis temas** de la ventana de personalización de la figura 2.17 aparecerá el tema modificado bajo el nombre `Tema sin guardar`.

- Para asignarle un nombre, hacemos clic sobre el tema sin guardar para que sea el actual y, luego, desplegamos su menú contextual (mediante el botón derecho del ratón). Con **Guardar tema** se abre un cuadro de texto para escribamos su nombre.

- Para suprimir uno de nuestros temas que no sea el actual (si lo es, haremos clic en otro para que deje de serlo), desplegamos su menú contextual con el botón secundario del ratón y ejecutamos **Eliminar tema**.

Si en la ventana de personalización, que hemos visto en la figura 2.17, activamos su enlace inferior **Fondo de escritorio** abrimos la ventana de la figura 2.18, donde configuraremos el fondo de nuestro escritorio.

En primer lugar debemos decidir qué imagen o imágenes van a conformar el fondo. En **Ubicación de la imagen** disponemos de las opciones predefinidas, si bien podemos optar por todas las imágenes almacenadas en una carpeta del equipo, que debemos localizar con Examinar.

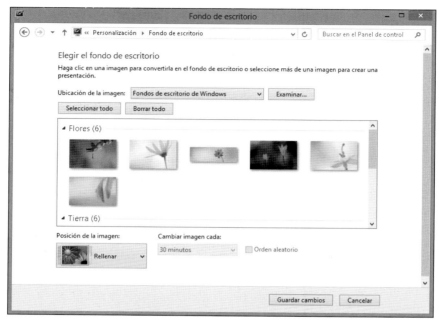

Figura 2.18. Para elegir el fondo de escritorio.

Si, por ejemplo, seguimos con los fondos de escritorio de Windows, que son las imágenes correspondientes a los temas predefinidos, haciendo clic en una imagen, escogemos únicamente esa imagen. ¿Y si queremos seleccionar más? Debemos mantener pulsada la tecla Control mientras seguimos haciendo clic en las que nos interesen. ¿Y si nos gustan todas? Pues acabamos más rápido con el botón Seleccionar todo. ¿Y si deseamos quitar alguna? Sólo tenemos que hacer clic en su correspondiente casilla. Además, con el botón Borrar todo o haciendo clic en una zona vacía de la galería de imágenes, anulamos la selección previa.

- En **Posición de la imagen** debemos indicar cómo se colocarán si su tamaño difiere de las dimensiones del escritorio. Si optamos por **Ajustar** o **Centro** es posible que no se cubra todo el escritorio y, entonces, el resto del fondo se rellenará con el color que elijamos mediante el enlace **Cambiar color de fondo**.

- En **Cambiar imagen cada** decidimos cada cuánto tiempo tendrá lugar el cambio de imagen (el margen varía de diez segundos a un día) y si se irán mostrando las fotografías en orden secuencial o aleatorio.

Ya sólo resta hacer clic en Guardar cambios y, como ya sabemos, el tema modificado aparecerá en la sección **Mis temas** de la ventana de personalización con el nombre `Tema sin guardar`.

Para ir a la siguiente imagen del fondo del escritorio, hacemos clic en cualquier zona vacía del escritorio con el botón secundario del ratón (el derecho, por defecto) y ejecutamos **Siguiente fondo de escritorio***.*

Supongamos que seguimos en la ventana de personalización; si no es así, la abrimos de nuevo con un clic del botón derecho en una zona vacía del escritorio y **Personalizar**. Al activar el enlace inferior **Color** pasamos a otra ventana donde encontramos diversos colores que podemos aplicar a las ventanas y a la barra de tareas, para sustituir al predeterminado del tema. Para averiguar cómo resulta un determinado color, basta hacer clic en él y, automáticamente, las ventanas abiertas lo adoptan. ¿Nos gusta? Entonces hacemos clic en Guardar cambios para conservar las modificaciones.

Si bien no hay mucho para elegir en la personalización de colores, en cambio el protector de pantalla nos brinda mayores posibilidades.

¿Nos interesa establecer un protector de pantalla en nuestro equipo, que se pondrá en marcha cuando lleve un rato inactivo? Entonces, en la ya superconocida ventana de personalización de la figura 2.17, activamos el enlace **Protector de pantalla**, que abre el cuadro de diálogo de la figura 2.19.

Desplegando la lista de los disponibles en el campo **Protector de pantalla**, podemos seleccionar uno de ellos y, en el monitor de la parte superior, iremos viendo cómo queda. Seguramente el más atractivo visualmente es Fotografías, que conforma el protector de pantalla con las fotografías que tengamos almacenadas en una carpeta de nuestro equipo.

Figura 2.19. Protector de pantalla.

- **Configuración** abre una ventana donde establecemos la configuración del protector (sólo en algunos de ellos).

- Con el botón **Vista previa** vemos cómo quedaría el protector seleccionado a pantalla completa.

- En **Esperar** indicamos el tiempo de inactividad que debe transcurrir para que se ponga en marcha el protector de pantalla.

- Si activamos la casilla **Mostrar la pantalla de inicio de sesión al reanudar**, cuando pulsemos una tecla para volver a utilizar el equipo, Windows 8 nos solicitará nuestra contraseña.

Cuando todo sea de nuestro agrado, sólo tenemos que hacer clic en **Aceptar**.

El escritorio, las ventanas y las carpetas

Personalizar el ratón

A lo largo de las páginas anteriores hemos leído varias veces que, por defecto, el botón principal del ratón es el izquierdo y el botón secundario el derecho. ¿Y por qué Windows 8 lo ha decidido así? Por una razón estadística, nada más: para una persona diestra es más cómodo pulsar el botón izquierdo que el derecho… y hay más personas diestras que zurdas en nuestro mundo.

No obstante, es evidente que también sería conveniente poder intercambiar esos botones para facilitar el trabajo a las personas zurdas y, como era previsible, Windows 8 también nos permite realizar esta operación.

Para ello tenemos que abrir la ventana de personalización (con un clic del botón derecho en una zona vacía del escritorio y ejecutando **Personalizar**). Después, con el enlace **Cambiar punteros del mouse** del lateral izquierdo de dicha ventana, accedemos al cuadro de diálogo de la figura 2.20.

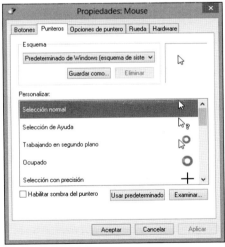

Figura 2.20. Propiedades del ratón.

- Entramos directamente en la ficha **Punteros**. La sección **Esquema** nos oferta diversas combinaciones de punteros para reemplazar la predeterminada y la sección **Personalizar** nos posibilita sustituir algún puntero (haciendo doble clic se listan los disponibles).

- En la ficha **Opciones de puntero** podemos configurar el puntero del ratón (velocidad, ajuste y visibilidad) a nuestras características personales. Resulta útil cuando se tiene algún problema de visión.

- En la ficha **Rueda** decidimos a qué equivale un giro de la rueda del ratón, en sentido vertical u horizontal, y la ficha **Hardware** nos informa sobre las propiedades de este dispositivo.

Nos queda sólo por ver la primera ficha, **Botones**, que es precisamente donde se realiza el cambio citado antes:

- Si nos desenvolvemos mejor con la mano izquierda que con la derecha, activaremos la casilla **Intercambiar botones primario y secundario**. A partir de ese momento, el botón principal del ratón será el derecho y el secundario el izquierdo.

- Desplazando la lengüeta también podemos determinar la velocidad con la que debemos efectuar el doble clic, para que Windows 8 lo detecte como tal. La carpeta de la derecha nos servirá para comprobar nuestra rapidez de pulsado.

- La casilla **Activar bloqueo de clic** nos permite bloquear el botón del ratón con un clic y, de esta forma, podemos arrastrar sin necesidad de estar presionando el botón.

Recordemos una vez más que, si más adelante, no recordamos dónde se configura el ratón, siempre tenemos a nuestra disposición el truco mágico: acudir a **Configuración** *del acceso* **Buscar** *o pulsar* Windows-W.

PERSONALIZAR LA PANTALLA

Por el bien de nuestros ojos es fundamental que la calidad de imagen mostrada en el monitor sea lo mejor posible. ¿Verdad que opinas lo mismo?

El primer aspecto a tener en cuenta es la resolución de la pantalla, que puede variar en función del monitor y de la tarjeta gráfica. ¡Cuánto mejores sean, más lo agradecerán nuestros ojos!

Para ver la resolución actual y cambiarla si lo deseamos, sólo tenemos hacer clic con el botón secundario del ratón en cualquier zona vacía del escritorio y, luego, ejecutar **Resolución de pantalla**. De esta forma accedemos a la ventana de la figura 2.21.

Figura 2.21. Resolución de pantalla.

¿Y qué resolución elegimos? Los modernos monitores suelen dedicar un pequeño transistor a cada punto y, por tanto, se ven muy bien a la resolución fijada por la empresa fabricante, que generalmente es la máxima aceptada. De todas formas, nunca viene mal echar un vistazo al manual de nuestro monitor y leer sus especificaciones.

Claro que algunas personas son reacias a colocar una alta resolución en su pantalla, porque tienen problemas de visión y las letras se ven pequeñitas. Sin embargo, no se trata de una elección muy recomendable; es preferible quedarse con la mejor resolución y, si hace falta, aumentar el tamaño de los objetos.

Para llevar a cabo esta última acción, en la ventana de la figura 2.21 hacemos clic en el enlace **Aumentar o reducir el tamaño del texto y otros elementos**, que nos lleva a la ventana de la figura 2.22.

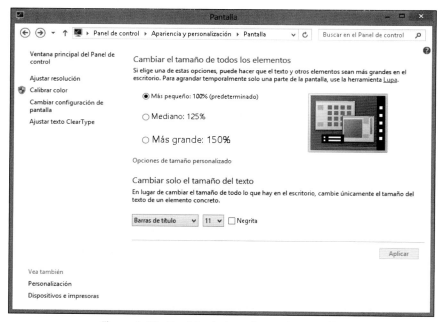

Figura 2.22. Cambio de tamaños en la pantalla.

Como observamos en la figura 2.22, ahí podemos aumentar el tamaño del texto y de los iconos o únicamente el tamaño del texto de elementos específicos (barras de título, información sobre herramientas, etc.). Eso sí, sólo apreciaremos estos cambios tras iniciar sesión de nuevo.

¿Y si con los porcentajes ofertados no es suficiente? Entonces podemos activar el enlace **Opciones de tamaño personalizado** y se abrirá un cuadro de diálogo donde seleccionamos el porcentaje que más se ajusta a nuestras necesidades, arrastrando la regla con el ratón. Cuando hagamos clic en Aceptar, la escala elegida también se mostrará en la ventana de la figura 2.22 y podremos aplicarla.

Por último, los enlaces del lateral izquierdo nos pueden servir para mejorar, en ocasiones, la calidad de visión.

- Los nuevos monitores acostumbran tener un botón para ajustar su visionado automáticamente. En otro caso, si queremos asegurarnos de que los colores se ven bien, puede sernos de utilidad el enlace **Calibrar color**, que pone en marcha un asistente para ayudarnos en esta tarea.

- Por último, el enlace **Ajustar texto ClearType** nos permite desactivar (o activar si la hubiésemos anulado) la tecnología ClearType, que aumenta la legibilidad de los textos en pantalla.

PERSONALIZAR LA BARRA DE TAREAS

Antes de pasar a comentar cómo vemos la barra de tareas, vamos a centrarnos en los botones que puede contener; en principio, sólo están el Explorador de archivos e Internet Explorer.

Si tenemos abierta una aplicación de escritorio y hacemos clic con el botón secundario del ratón sobre su botón de la barra de tareas, se despliega un menú contextual que varía en función de la aplicación abierta, aunque generalmente muestra los archivos más recientes abiertos con esa aplicación y, en la parte inferior, enlaces para ejecutar otra vez la aplicación, cerrar su ventana y anclarla a la barra de tareas.

Por tanto, si optamos por **Anclar este programa a la barra de tareas**, siempre aparecerá el botón de esa aplicación en la barra de tareas... hasta que decidamos quitarlo de ahí, con **Desanclar este programa de la barra de tareas** que habrá reemplazado al comando anterior en el menú contextual del botón.

¿Y si no tenemos abierto el programa? Entonces, lo buscamos en la lista de aplicaciones, con Windows-Q o desde la pantalla Inicio con Control-Tab; al hacer clic sobre él con el botón secundario del ratón, ya tendremos disponible el comando **Anclar a la barra de tareas**... y su lugar lo ocupa otro para desanclar el programa.

> *Podemos recolocar los botones situados dentro de la barra de tareas sin más que arrastrarlos a su nueva posición.*

La configuración inicial de la barra de tareas resulta bastante adecuada; no obstante, puede interesarnos cambiar algún aspecto de ella para adecuarlo a nuestras necesidades o preferencias. Si es así, abrimos el cuadro de diálogo de la figura 2.23, con **Propiedades** del menú contextual de una zona vacía de la barra de tareas.

- **Bloquear la barra de tareas**: Por defecto, la barra de tareas está bloqueada. ¿Quiere decir eso que no se puede mover? ¡Exactamente! Por ejemplo, no podemos cambiarla de sitio ni modificar su tamaño. Si desactivamos esta casilla o **Bloquear la barra de tareas** del menú contextual de la barra de tareas, podremos cambiar la posición de la barra de tareas a los laterales del escritorio con sólo arrastrarla hasta allí o modificar su altura (o anchura si está en un lateral vertical) arrastrando el cursor cuando se transforme en una doble flecha (al situarlo en el borde de la barra)... Como siempre, todo es cuestión de gustos, pero seguramente el lateral inferior es el más adecuado.

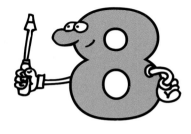

Figura 2.23. Propiedades de la barra de tareas.

- **Ocultar automáticamente la barra de tareas**: Activando esta casilla evitamos que la barra de tareas siempre esté visible, si bien es posible mostrarla de nuevo, momentáneamente, colocando el puntero en la posición donde debería estar, lo que nos puede obligar a minimizar alguna ventana. Si necesitamos disponer de absolutamente toda la pantalla para nuestras aplicaciones, quizás nos interese ocultar la barra de tareas.

- **Usar botones de barra de tarea pequeños**: Al activar esta casilla, los botones de la barra de tareas reducen su tamaño.

- **Ubicación de la barra de tareas en pantalla**: Desplegando su lista decidimos en qué lateral de la pantalla se coloca la barra de tareas.

- **Botones de la barra de tareas**: Si hay varios botones correspondientes a una misma aplicación, se contraen en uno sólo, que podemos desplegar para acceder a la ventana que nos apetezca. También podemos optar porque se combinen cuando se llena la barra de tareas o nunca.

- **Área de notificación**: Con el botón Personalizar abrimos otro cuadro de diálogo donde podemos decidir si de un determinado elemento se muestra su icono y sus notificaciones o sólo éstas últimas… o nada.

Ya nos hemos percatado de que Windows 8 incluye un pequeño reloj digital, visible en la parte derecha de la barra de tareas. Además de indicarnos la hora, la importancia del reloj radica en que Windows 8 conserva la fecha en que almacena los archivos. Gracias a ese dato, posteriormente podremos buscar los archivos modificados el mes pasado, localizar las páginas web visitadas en los últimos días, etc.

Si hacemos clic sobre el reloj de la barra de tareas, se abre la ventana de la figura 2.24, donde vemos el calendario del mes actual y, en la parte derecha, un reloj, en formato analógico y digital.

Figura 2.24. Calendario y reloj.

Tan importante es la fijación de fecha y hora que es aconsejable no cambiarla y dejar que el servidor horario de Internet se encargue de mantener nuestro reloj en punto.

Sin embargo, en alguna ocasión podemos necesitar ajustar manualmente los parámetros del reloj del equipo, ya sea porque no está conectado a Internet o porque lo hemos llevado de viaje a otro país. Además, Windows 8 también nos permite agregar hasta dos relojes adicionales que marquen la hora en otras ciudades del planeta.

Para realizar alguna de las acciones anteriores, tenemos que activar el enlace **Cambiar la configuración de fecha y hora** de la figura 2.24.

- La ficha **Fecha y hora** nos ofrece el botón Cambiar fecha y hora, para modificar sus valores, y Cambiar zona horaria, para establecer otra zona horaria.

- La ficha **Relojes adicionales** nos brinda la posibilidad de ver la hora en una o dos zonas horarias distintas, algo interesante si tenemos algún familiar en otra parte del mundo. Tras determinar en esta ficha las características del reloj adicional a mostrar, éste aparecerá cuando coloquemos el puntero sobre el icono del reloj en el área de notificación o cuando hagamos clic sobre él, caso de la figura 2.25.

Figura 2.25. Un reloj adicional.

PERSONALIZAR LA VISTA DE LOS ICONOS

Como ya sabemos, un icono es la representación gráfica de un objeto (carpeta, archivo, etc.) y consta de una imagen y un nombre. La primera sirve, especialmente, para localizar los objetos de un tipo en concreto, ya que suelen tener una imagen diferente. Por ejemplo, en la figura 2.26 aparecen los iconos de una canción mp3, una fotografía y un texto.

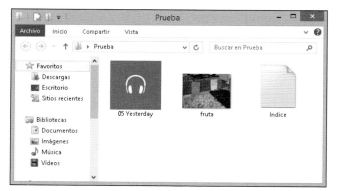

Figura 2.26. Tres iconos diferentes.

En algunas vistas, como Detalles, Mosaicos o Contenido, junto al icono se muestra cierta información sobre el archivo correspondiente. En las otras vistas, si colocamos el puntero del ratón sobre él, obtenemos más información.

En principio, los iconos de una carpeta suelen verse ordenaditos, generalmente por su nombre; sin embargo, esa organización automática puede resultarnos un tanto rígida o quizás nos apetezca ordenarlos por su tamaño, tipo o fecha.

Para realizar estas acciones, podemos utilizar los comandos de la figura 2.27, a los que accedemos con **Ordenar por** del menú contextual de una zona vacía de la carpeta. Además, también los tenemos disponibles en el botón Ordenar por de la pestaña **Vista** de la cinta.

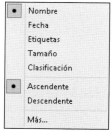

Figura 2.27. Opciones para organizar los iconos.

- En la parte superior elegimos el criterio de ordenación y, con **Ascendente** o **Descendente**, establecemos en qué orden se muestran los iconos.

- **Más** abre el cuadro de diálogo **Elegir detalles**. Los detalles seleccionados ahí podremos utilizarlos para las ordenaciones.

Si estamos en la vista Detalles, la forma más rápida de ordenar los iconos de una carpeta es hacer clic en el encabezado de la columna que nos interese (Nombre, Fecha, Tipo, etc.). Un nuevo clic establece el orden inverso al anterior… y si queremos cambiar el orden de los encabezados, sólo tenemos que arrastrarlos hasta su nueva posición.

Además, mediante la flecha que hay a la derecha de cada encabezado desplegamos un menú con nuevas opciones, que varían en función del encabezado. Si activamos algunas de las casillas que hay a la izquierda del cuadro que se abre, en la ventana sólo aparecerán los elementos que satisfagan las condiciones; de esta forma, aunque tengamos muchos archivos presentes, resulta sencillo seleccionar los que cumplen unas determinadas características.

Cuando establecemos una condición de esta forma, el encabezado incluirá después una marca, para indicarnos que se ha realizado una selección y no todos los elementos de la ventana están visibles.

Otra posibilidad que nos ofrece Windows 8 es colocar los iconos en grupos según el criterio de ordenación seleccionado. Para llevar a cabo esta acción podemos utilizar el botón **Agrupar por** de la pestaña **Vista** de la cinta o ejecutar **Agrupar por** del menú contextual de una zona vacía de la ventana.

¿Y cómo anulamos una agrupación? Repetimos el proceso anterior y elegimos **(Ninguno)**.

*Los otros dos botones del grupo **Vista actual** de la pestaña **Vista** de la cinta nos permiten agregar más columnas de información y ajustar su ancho a su contenido. Eso sí, sólo están operativos en la vista Detalles.*

Por último, si desplegamos el menú contextual de una zona vacía del escritorio, en **Ver** aparecen unos interesantes comandos de la figura 2.28

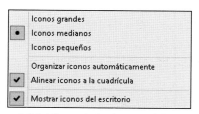

Figura 2.28. Vistas de los iconos del escritorio.

* Mediante uno de los tres comandos superiores elegimos el tamaño de los iconos. Como es lógico, escogeremos el que más cómodo nos resulte.

* Activando **Organizar iconos automáticamente** se ubican los iconos en columnas y, de este modo, resulta fácil localizar uno en concreto, especialmente si están ordenados. ¿Prefieres tener las cosas a tu gusto? Perfecto; entonces, deja esta opción desactivada.

* Windows 8 divide el escritorio en una cuadrícula invisible y, si tenemos activada la opción **Alinear iconos a la cuadrícula**, cuando desplazamos cualquier icono se ajusta a dicha cuadrícula, de forma que los elementos siempre se ven perfectamente al no poder solaparse.

* Si desactivamos **Mostrar iconos del escritorio**, los iconos del escritorio dejan de verse, aunque siguen estando ahí. Activando el comando de nuevo, volvemos a tenerlos delante de nuestros ojos.

Operaciones con iconos

Seguidamente vamos a comentar las operaciones más habituales que se realizan con iconos. Eso sí, debemos tener presente que todo cuanto hagamos con un icono, en realidad lo estamos haciendo con el elemento correspondiente.

Como ya sabemos, la operación más elemental, abrir un icono, sólo nos exige hacer clic sobre él o un doble clic, según cómo hayamos establecido las opciones de carpeta.

¿Y las demás operaciones? Antes de pasar a ellas, es recomendable detenernos en la selección de iconos, porque nos puede ahorrar bastante trabajo. Por ejemplo, si queremos borrar muchos iconos, en lugar de ir de uno en uno, primero los seleccionamos y, luego, los borramos de un plumazo; si vamos a copiarlos en un disco, también es más cómodo seleccionarlos con anterioridad.

Para seleccionar un único icono, sólo tenemos que colocar el puntero sobre él (o hacer clic, según nuestra configuración de las carpetas) y aparece resaltado. ¿Y si deseamos seleccionar más de un icono de una carpeta? En este caso, Windows 8 nos ofrece varias alternativas:

- Si los iconos están contiguos, sólo tenemos que hacer clic en una esquina del espacio ocupado por los iconos y arrastrar el ratón hasta la esquina opuesta. Todos los iconos que estén delimitados por el rectángulo que hemos trazado, quedarán seleccionados.

- Si los iconos que nos interesan son consecutivos, basta con seleccionar el primero y, manteniendo pulsada la tecla Mayús, el último.

- Si los iconos que deseamos seleccionar no son contiguos, podemos irlos escogiendo de uno en uno manteniendo pulsada la tecla Control.

- Podemos seleccionar todos los iconos con Control-E o con Seleccionar todo de la pestaña **Inicio** de la cinta.

Cuando deseemos cambiar el nombre de un icono previamente seleccionado, Windows 8 también nos brinda varios métodos para editar el nombre del icono y, así, poder sustituirlo por el que escribamos seguidamente.

- Pulsar F2.

- En el menú contextual del icono, elegir **Cambiar nombre**.

- Hacer clic en Cambiar nombre de la pestaña **Inicio** de la cinta.

¿Y qué sucede si seleccionamos varios archivos y cambiamos el nombre de uno de ellos? Pues si son de diferente tipo, todos pasan a tener el nombre que hayamos escrito; cuando los tipos coincidan, tendrán ese mismo nombre con el añadido de (1), (2), (3), etc.

Mover y copiar iconos son dos operaciones que se realizan con cierta frecuencia, para llevar archivos de una carpeta a otra o a un disco. Por el momento, nos olvidamos de esta última modalidad, ya que la comentaremos a fondo en el capítulo 4, y ahora vamos a tratar sólo con iconos presentes en las carpetas del disco duro.

En primer lugar, es necesario resaltar la diferencia entre mover y copiar. Ambas acciones permiten trasladar iconos de una carpeta a otra, pero cuando se mueve un icono desaparece de su ubicación original y, en cambio, al copiarlo permanece. ¿Aclarado el asunto?

¿Y qué debemos hacer para copiar o mover? Sólo tenemos que seleccionar los iconos que nos interesen y, después, elegir uno de los siguientes caminos:

- Si las carpetas de origen y destino están visibles en pantalla, lo más sencillo es arrastrar los iconos de una carpeta a otra. En principio, cuando los iconos están en distinta unidad de disco se copian y si están en la misma se mueven; es decir, si arrastramos un icono de una carpeta a otra del escritorio, dejará de estar ubicado en su carpeta origen.

- Si las carpetas no están visibles o no tenemos ganas de arrastrar, podemos utilizar la clásica técnica de copiar/cortar y pegar. Las dos primeras acciones copian el archivo lo pasan al portapapeles (un espacio reservado en la memoria), si bien al cortarlo se elimina de la carpeta origen; una vez presente en el portapapeles, podemos pegarlo en cualquier carpeta. ¿Y cómo llevamos a cabo estas tareas? Pues con los comandos de su mismo nombre que están en el menú contextual de los iconos y los botones análogos la pestaña **Inicio** de la cinta.

- Los botones Mover a y Copiar a de la pestaña **Inicio** de la cinta, también nos permiten realizar las acciones que estamos comentando. En ambos casos, se despliega un cuadro donde debemos indicar la ubicación de destino.

> *Si nos interesa copiar iconos dentro de la misma unidad de disco, al arrastrar debemos mantener pulsada la tecla Control. ¿Y si queremos mover cuando arrastramos a otra unidad? Entonces, la tecla a mantener pulsada es Mayús.*

Otra operación muy común es eliminar uno o varios iconos. Una vez seleccionemos aquellos que nos interesa suprimir, también disponemos de varias alternativas.

- Pulsar la tecla Supr.

- En el menú contextual de cualquier icono seleccionado, elegir **Eliminar**.

- Hacer clic en **Eliminar** de la pestaña **Inicio** de la cinta.

- Arrastrar los iconos hasta la Papelera de reciclaje, si la tenemos a la vista.

¿Y qué es, en realidad, la Papelera de reciclaje? Simplemente una carpeta más del equipo, si bien tiene una capacidad limitada; cuando se sobrepasa, va eliminando los archivos más antiguos para dejar sitio a los nuevos.

Es decir, cuando suprimimos un elemento no desaparece definitivamente de nuestro disco duro, sino que se mueve a la Papelera de reciclaje; por tanto, tenemos la posibilidad de recuperarlo. El procedimiento a seguir es muy sencillo:

1. Abrimos la Papelera de reciclaje que, como vemos en la figura 2.29, es similar a cualquier carpeta.

Figura 2.29. Está abierta la Papelera de reciclaje.

2. Seleccionamos el icono o iconos que deseamos recuperar.

3. Hacemos clic en **Restaurar los elementos seleccionados** de la pestaña **Administrar** de la cinta. También podemos ejecutar **Restaurar**, presente en su menú contextual.

Tras restaurar un elemento, volvemos a encontrarlo en su carpeta de procedencia. De hecho, si después de borrar el elemento también hubiésemos eliminado la carpeta que lo contenía, Windows 8 la crearía por su cuenta para colocar allí el icono restaurado.

Si en el equipo hay dos discos duros, cada uno tiene su propia Papelera de reciclaje. Por el contrario, los pen drive carecen de ella y eso significa que no podemos recuperar sus elementos borrados.

Claro que algunos discos duros están abarrotados de archivos y tienen menos espacio libre que una playa en verano. En estos casos es interesante vaciar de vez en cuando la Papelera de reciclaje y, de esta forma, al eliminar definitivamente los archivos que contiene, liberamos el espacio que ocupaban.

Para realizar esta operación podemos ejecutar **Vaciar Papelera de reciclaje** de su menú contextual o abrir la papelera y hacer clic en Vaciar la Papelera de reciclaje de la pestaña **Administrar** de la cinta.

¿Y si no queremos quitar de forma definitiva todos los archivos de la Papelera de reciclaje sino sólo algunos? Pues hacemos lo de siempre: los seleccionamos y ejecutamos **Eliminar** de su menú contextual o hacemos clic en Eliminar de la pestaña **Inicio** de la cinta.

CARPETAS COMPRIMIDAS

Muchos de los archivos que se descargan desde sitios web están comprimidos en archivos zip para disminuir el espacio que ocupan y, por consiguiente, es preciso saber descomprimirlos para poder utilizarlos. Otras veces nos interesará justo lo contrario; es decir, comprimir nuestros archivos antes de enviarlos por e-mail o subirlos a un sitio web, para que la transferencia tarde menos y evitar limitaciones de tamaño.

Con objeto de facilitar la gestión de elementos comprimidos Windows 8 incorpora las llamadas carpetas comprimidas, que se utilizan de forma similar a las normales, si bien su icono es distinto, como observamos en la figura 2.30. Además, también son diferentes internamente, ya que una carpeta comprimida es, en realidad, un archivo zip.

Figura 2.30. Icono de una carpeta comprimida.

¿Y cómo comprimimos los datos? Como siempre, tenemos varias alternativas para hacer las cosas:

* Podemos crear una carpeta comprimida vacía con **Carpeta comprimida (en zip)**, que está en **Nuevo** del menú contextual de una zona vacía de la carpeta y en **Nuevo elemento** de la pestaña **Inicio** de la cinta. Luego, basta con arrastrar los elementos que deseemos hasta esa carpeta comprimida, pudiendo añadir otros cualesquiera más adelante. Eso sí, tengamos en cuenta que al arrastrar elementos a una carpeta comprimida se copian, no se mueven.

* Si nos interesa comprimir varios elementos previamente seleccionados, ejecutamos **Carpeta comprimida (en zip)**, disponible en **Enviar a** de su menú contextual, o hacemos clic en **Comprimir** de la pestaña **Compartir**

de la cinta. Se creará automáticamente, en el lugar donde estemos, una carpeta comprimida que incluirá todos los elementos seleccionados. Sencillo, ¿verdad?

La forma más rápida de comprimir una carpeta, tarea bastante habitual, es ir a **Enviar a** *de su menú contextual y ejecutar* **Carpeta comprimida (en zip)**.

¿Y realmente se gana espacio al comprimir? Pues depende del tipo de archivos. Por ejemplo, con las canciones mp3 o las imágenes jpeg apenas se logra reducción de tamaño; en cambio, con los documentos rtf o las imágenes bmp sí que se consigue una notable disminución de tamaño (si no sabes qué significan las siglas anteriores, no te preocupes; a lo largo del libro las iremos viendo).

Después de averiguar cómo se comprimen archivos o carpetas, nos toca analizar el proceso inverso; es decir, la extracción de elementos de una carpeta comprimida:

- Si sólo queremos descomprimir unos cuantos elementos de una carpeta comprimida, la abrimos en la forma habitual, seleccionamos los elementos y, seguidamente, los arrastramos hasta la carpeta deseada, donde se copiarán.

- Para descomprimir toda la carpeta, si la tenemos abierta, lo más cómodo es hacer clic en Extraer todo de la pestaña **Extraer** de la cinta; si está cerrada, normalmente ejecutaremos **Extraer todo** de su menú contextual. En ambos casos luego, en la ventana que se abre, podemos seleccionar otra carpeta como destino (con Examinar) y decidir si, tras extraerlos, se muestran o no los archivos. Finalmente, hacemos clic en Extraer.

Los accesorios
y los programas

Windows 8 es básicamente un sistema operativo; es decir, es el software que controla al hardware para que todo funcione como se espera. Por ejemplo, ¿verdad que no nos sorprendemos cuando estamos escribiendo algo y al pulsar una tecla se muestra en pantalla el carácter correspondiente? ¡Desde luego que no!

Sin embargo, la cosa tiene su miga. Aunque no nos damos cuenta, Windows 8 está leyendo continuamente el teclado y, cuando detecta la pulsación de una tecla, le indica al monitor cómo y dónde debe mostrarla. Imagina lo complicado que debe ser gestionar internamente la copia de archivos con el ratón, la interfaz de la pantalla Inicio, etc.

Pero el sistema operativo no puede limitarse a controlar el hardware, porque, cuando alguien adquiere un equipo, suele querer hacer algo con él inmediatamente. Por este motivo, Windows 8 incorpora una serie de accesorios, que es el nombre que les da a sus aplicaciones de escritorio. ¿Y qué son los accesorios? Pues unas sencillas aplicaciones con las que podemos llevar a cabo las tareas más comunes: escribir, calcular, dibujar, etc.

Seguidamente vamos a centrarnos en unos cuantos de estos accesorios y finalizaremos el capítulo viendo cómo instalar programas adicionales.

ESCRIBIR DOCUMENTOS

Windows 8 incluye un sencillo procesador de texto, WordPad, con el que podemos redactar una carta, escribir los asuntos pendientes, etc. No obstante, es evidente que sus prestaciones no alcanzan las de un procesador de textos de categoría, como Microsoft Word, de modo que si te piensas dedicar a la escritura profesional, te olvidarás de WordPad y te pasarás a Word, sin lugar a dudas.

Claro que muchas personas tienen más que suficiente con WordPad y, como viene incluido en Windows 8, no exige un desembolso adicional. Por tanto, resulta muy aconsejable saber manejarlo y, además, todo cuanto aprendamos sobre WordPad nos servirá para Word, si acabamos instalándolo... y los documentos que escribamos en WordPad también podremos leerlos directamente desde Word.

¿Y cómo abrimos WordPad? Pues de igual forma que lo haremos con cualquier otro accesorio: iremos a la lista de aplicaciones, con el acceso **Buscar** o Windows-Q, y en el cuadro de búsqueda introduciremos su nombre para encontrarlo rápidamente. Recordemos que, si estamos en la pantalla Inicio, comenzando a escribir el nombre del accesorio también conseguimos lo mismo.

Una vez localizado WordPad, lo activamos con un clic y en el escritorio tendremos su ventana inicial, que vemos en la figura 3.1.

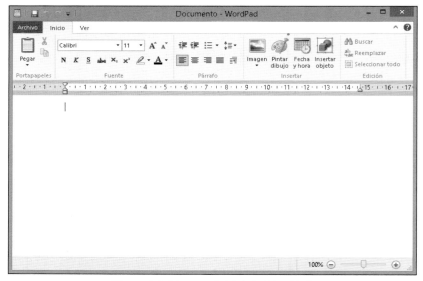

Figura 3.1. Ventana inicial de WordPad.

Si vamos a utilizar WordPad con cierta asiduidad, resulta bastante cómodo colocar su mosaico en la pantalla Inicio o su botón en la barra de tareas. Para ello, recordemos que sólo debemos desplegar el menú contextual de WordPad en la lista de aplicaciones y activar **Anclar a Inicio** *o* **Anclar a la barra de tareas,** *según sea el caso.*

El aspecto superior de la ventana de WordPad es similar al de las carpetas, si bien por defecto la cinta aparece desplegada. ¿Nos interesa ocultarla? Pues ya sabemos que sólo necesitamos hacer un doble clic sobre el nombre de una ficha y, repitiendo el proceso, volvemos a mostrarla. Cuando la cinta está oculta, un simple clic en el nombre de una ficha la muestra momentáneamente.

- Al hacer clic en **Archivo** accedemos a diversas opciones, que nos permiten abrir un archivo, guardarlo, imprimirlo, etc.

- La barra de acceso rápido incluye, por defecto, botones para guardar el documento actual y deshacer o rehacer las tareas de edición. Haciendo clic en el botón de su derecha podemos personalizarla a nuestro gusto.

- A la derecha de la barra de estado inferior disponemos de unos controles para ajustar el visionado del texto. La misma función tienen las opciones del grupo **Zoom** de la ficha **Vista**.

Ahora ya podríamos escribir lo que nos apeteciese, sin preocuparnos del formato del texto ni de sus características, ya que siempre se pueden cambiar más adelante. Sin embargo, es preferible hacer bien las cosas desde el principio y, antes de comenzar a teclear, vamos a indicarle a WordPad las características de nuestro documento.

1. Es conveniente seleccionar previamente las dimensiones y orientación del papel, si es que llevamos idea de imprimirlo. Para ello, en **Archivo** activamos **Configurar página**, que abre el cuadro de diálogo de la figura 3.2. Ahí seleccionamos el tamaño del papel (al hacer clic en la flecha de la derecha se despliegan las opciones), su orientación y los márgenes que habrá de separación entre el texto y los bordes del papel. El esquema de la parte superior refleja cómo resultaría la impresión de acuerdo con las elecciones que vayamos haciendo.

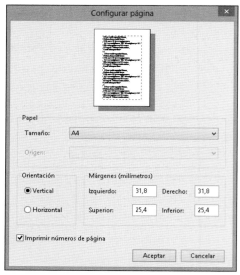

Figura 3.2. Configurar la página.

2. Podemos modificar la anchura del espacio disponible para escribir mediante la regla; si está oculta, activamos la casilla **Regla** de la ficha **Ver**. A izquierda y derecha de la regla, en su parte inferior, hay unas lengüetas deslizantes, con las que modificamos el espacio de escritura sin más que arrastrarlas. La lengüeta superior izquierda nos permite ajustar el sangrado de párrafo, ese espacio en blanco que se deja al comenzar un párrafo; por ejemplo, en la figura 3.3 podemos observar que el sangrado de los párrafos está fijado en un centímetro.

3. Elegimos las características de la fuente que vamos a utilizar; es decir, su tipo, estilo, tamaño y color. Esta elección podemos hacerla con las opciones del grupo **Fuente** de la ficha **Inicio**. Si más adelante seleccionamos otra fuente en el documento, lo que escribamos a continuación se ajustará a dicha fuente, pero el formato de lo anterior permanecerá inmutable.

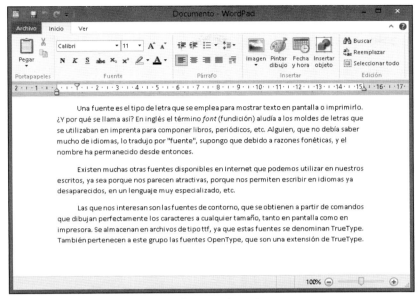

Una fuente es el tipo de letra que se emplea para mostrar texto en pantalla o imprimirlo. ¿Y por qué se llama así? En inglés el término *font* (fundición) aludía a los moldes de letras que se utilizaban en imprenta para componer libros, periódicos, etc. Alguien, que no debía saber mucho de idiomas, lo tradujo por "fuente", supongo que debido a razones fonéticas, y el nombre ha permanecido desde entonces.

Existen muchas otras fuentes disponibles en Internet que podemos utilizar en nuestros escritos, ya sea porque nos parecen atractivas, porque nos permiten escribir en idiomas ya desaparecidos, en un lenguaje muy especializado, etc.

Las que nos interesan son las fuentes de contorno, que se obtienen a partir de comandos que dibujan perfectamente los caracteres a cualquier tamaño, tanto en pantalla como en impresora. Se almacenan en archivos de tipo ttf, ya que estas fuentes se denominan TrueType. También pertenecen a este grupo las fuentes OpenType, que son una extensión de TrueType.

Figura 3.3. El sangrado está en 1 cm.

4. Indicamos, con el correspondiente botón del grupo **Párrafo** de la ficha **Inicio**, qué alineación deseamos que tenga el texto con respecto a los márgenes (Justificar ajusta de forma simultánea a izquierda y derecha). También establecemos ahí el interlineado; es decir, la separación que habrá entre las líneas de los párrafos.

5. Si nos interesa escribir datos en columnas, resulta útil fijar alguna tabulación, para ir a la posición marcada con sólo pulsar la tecla Tab. Podemos establecer las tabulaciones directamente en la regla, sin más que hacer clic en la situación donde nos interesa fijarla. ¿Y cómo suprimimos una tabulación? Basta con arrastrarla fuera de la regla.

¿Todo listo? Entonces ha llegado el momento de comenzar a escribir. Teclea lo que te apetezca o, si no se te ocurre nada, copia diez o doce líneas de cualquier texto para practicar. Eso sí, es aconsejable tener en cuenta lo siguiente:

Las características fijadas en los pasos 4 y 5 anteriores también podemos hacerlas en el cuadro de diálogo que se abre al hacer clic en el botón Párrafo del grupo Párrafo (el situado en su esquina inferior derecha) o al ejecutar Párrafo del menú contextual del área del documento.

- No debemos preocuparnos por el paso de una línea a otra, pues lo hace WordPad automáticamente. Sólo pulsaremos Intro cuando deseemos cambiar de párrafo.

- Con la tecla Supr borramos el carácter situado a la derecha del cursor parpadeante vertical y con la tecla Retroceso el situado a su izquierda.

- En principio, WordPad trabaja en modo inserción; es decir, si hacemos clic en medio de un texto y comenzamos a escribir, los caracteres situados a la derecha del cursor se van desplazando. También podemos optar por el modo sobrescribir, en el que cada nuevo carácter sustituye al que hubiera a su derecha. Para pasar de una modalidad a otra, pulsaremos la tecla Insertar.

- Con el botón Deshacer de la barra de acceso rápido, que equivale a Control-Z, deshacemos la última acción realizada; al hacer clic en él de nuevo, deshacemos la acción anterior y, así, sucesivamente. El botón Rehacer (Control-Y) efectúa el proceso inverso.

¿Ya hemos terminado de escribir? Entonces, es el momento de guardar el documento. Bueno, en realidad podríamos guardarlo antes o después, pero, como sólo estamos practicando, este momento es tan bueno como cualquier otro.

1. Hacemos clic en el botón Guardar de la barra de acceso rápido. También podríamos pulsar Control-G o activar **Guardar** de la ficha **Archivo**.

2. En el cuadro de diálogo de la figura 3.4, escribimos el nombre que tendrá nuestro archivo y, si lo deseamos, cambiamos su ubicación (Documentos es un buen sitio) y su tipo (rtf también está bien). Con Intro o Guardar, almacenamos nuestro primer documento.

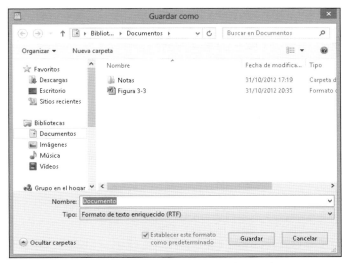

Figura 3.4. Cuadro de diálogo para guardar un documento.

Es aconsejable ir guardando el archivo cada cierto tiempo, mientras lo estamos editando, para evitar que un corte en el suministro de energía eléctrica nos haga perder información. Como al guardarlo ya le hemos asignado un nombre, para volverlo a guardar más adelante será suficiente con pulsar el botón Guardar.

Ahora, con objeto de seguir practicando, cerramos WordPad. ¿De acuerdo?

Comentemos brevemente los tipos que nos oferta WordPad para guardar nuestros escritos.

El tipo Documento de texto enriquecido (rtf, rich text format), se puede leer desde cualquier procesador de textos y conserva las características de la fuente.

El tipo Documento XML abierto de Office corresponde a archivos docx, que surgieron en Office 2007. El tipo Texto de OpenDocument genera archivos odt, conocidos por su inclusión en OpenOffice.

Los otros tres tipos que nos ofrece WordPad para nuestros documentos, generan un archivo txt, que sólo conserva los caracteres del texto y, por tanto, puede abrirse en cualquier procesador de textos, aunque será preciso volver a maquetar el escrito.

El formato MS-DOS utiliza un conjunto de 256 caracteres, diferente al de Windows 8, si bien sus primeros 128 caracteres son comunes. La diferencia se aprecia, sobre todo, en las eñes y vocales acentuadas. Por ejemplo, si abrimos en un editor de texto (como el Bloc de notas, que veremos pronto) un documento guardado en formato MS-DOS, aparecerán unos símbolos extraños en sustitución de las eñes y vocales acentuadas.

Finalmente, el tipo Unicode es un estándar de codificación de caracteres, desarrollado por el Consorcio Unicode, para ser válido en casi todos los idiomas del mundo. Admite 65.536 caracteres, ya que almacena cada uno en 2 bytes.

Supongamos que nos interesa modificar el documento que acabamos de guardar; por tanto, deberemos abrirlo en WordPad. ¿Y cómo se hace esto? En general, para abrir cualquier archivo que hayamos creado con una aplicación, disponemos de dos alternativas: ejecutar la aplicación con la que se ha creado y, desde ella, abrir el archivo o activar el icono del archivo, que pondrá en marcha la aplicación con el archivo abierto (siempre que sólo haya una instalada asociada con ese tipo de archivo).

En concreto, como ahora estamos con WordPad, las dos alternativas anteriores se traducen en:

- Ejecutamos WordPad y vamos a **Abrir** de la ficha **Archivo** o pulsamos Control-A; en ambos casos se abre un cuadro de diálogo donde debemos localizar el archivo que vamos a abrir. Si se trata de uno de los últimos archivos abiertos en WordPad, lo más rápido es seleccionarlo en la lista de documentos recientes que aparece en la ficha **Archivo**.

- Buscamos el icono de nuestro documento, bien con el acceso **Buscar** o yendo a la carpeta donde está guardado (por defecto `Documentos`). Al activar el icono se pondrá en marcha WordPad y nos mostrará el documento correspondiente.

Ya tenemos abierto nuestro documento en WordPad y ahora vamos a ver algunas de las posibilidades de edición que tenemos para dejar el documento a nuestro gusto.

Por ejemplo, imaginemos que nos interesa cambiar el formato de un fragmento de texto ya escrito; en este caso, basta con seleccionarlo y, seguidamente, establecer las características del formato en la forma habitual.

¿Y cómo seleccionamos una parte del texto? Sólo tenemos que hacer clic en su principio o final y arrastrar el ratón hasta el otro extremo. Como observamos en la figura 3.5, el texto seleccionado aparece resaltado en inverso.

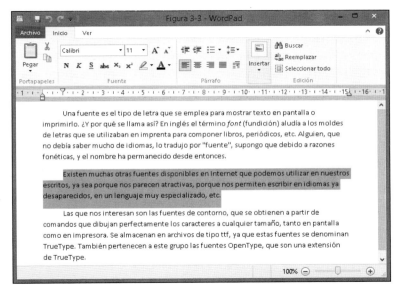

Figura 3.5. Seleccionado el segundo párrafo.

- Los cambios de fuente que realicemos sólo afectan al texto seleccionado; el resto, permanece igual. Sin embargo, si la selección comprende parte de un párrafo, las modificaciones en el formato de párrafo (sangría, ajuste, etc.) se aplican a todo el párrafo.

- En el menú contextual de una selección también encontramos los comandos para cambiar el formato de su párrafo.

- Para seleccionar todo el contenido del documento, el camino más rápido es pulsar Control-E, que equivale a Seleccionar todo del grupo **Edición** de la ficha **Inicio**.

- Con un doble clic seleccionamos la palabra completa sobre la que se encuentra el puntero. Con un clic adicional, seleccionamos el párrafo que la contiene.

- Para anular una selección previa, sólo tenemos hacer clic en cualquier parte del texto.

Nunca debemos pulsar una tecla mientras tenemos algo seleccionado, porque sustituiremos toda la selección por el carácter correspondiente a la tecla pulsada. Si metemos la pata, recordemos que tenemos a nuestra disposición el botón Deshacer.

También podemos utilizar en nuestros documentos la clásica técnica de cortar/copiar y pegar que ya conocemos de los archivos. Una vez seleccionado un texto, cuando queramos efectuar alguna de las acciones siguientes, hacemos clic en la correspondiente opción del grupo **Portapapeles** de la ficha **Inicio** o ejecutamos su respectivo comando en el menú contextual de la selección.

- Cortar pasa el texto a la memoria y lo suprime del documento.

- Copiar pasa el texto a la memoria, manteniéndolo en el documento.

- Pegar copia el contenido de la memoria en la posición donde está el cursor.

Si nos interesa cambiar de sitio un texto seleccionado, lo más rápido es arrastrarlo hasta la posición deseada. En caso de que nos interese copiar la selección, mantendremos pulsada la tecla Control durante el arrastre.

Cuando sólo hemos escrito unas pocas líneas, no resulta muy difícil localizar una palabra en concreto; sin embargo, conforme aumenta el número de líneas se acrecienta la dificultad de la búsqueda y puede llevar bastante tiempo localizar visualmente una palabra.

En ocasiones se nos plantea un problema distinto: sustituir un texto que aparece varias veces a lo largo de un escrito por otro diferente; por ejemplo, si hemos copiado mal un nombre extranjero, si se trata de una carta destinada a otra persona, etc.

Para facilitarnos el trabajo al llevar a cabo estas tareas, WordPad incorpora los botones **Buscar** y **Reemplazar** del grupo **Edición** de la ficha **Inicio**, que equivalen a **Control-B** y **Control-R**, respectivamente.

- La búsqueda se configura desde el cuadro de diálogo de la figura 3.6. En **Buscar** escribimos la palabra o grupo de caracteres que deseamos localizar en el documento y, con **Intro** o **Buscar siguiente**, se irán mostrando las sucesivas apariciones del criterio de búsqueda. Si nos interesa localizar sólo palabras completas o diferenciar mayúsculas y minúsculas, activamos la casilla inferior correspondiente.

Figura 3.6. Para buscar con rapidez y comodidad.

- Al reemplazar se abre el cuadro de diálogo de la figura 3.7, que es muy similar al de la figura 3.6, si bien incorpora algunas novedades. En **Reemplazar por** introducimos el texto que sustituirá al que escribamos en **Buscar**. Una vez encontrado éste último, con **Buscar siguiente** omitimos el reemplazamiento y se busca una nueva aparición; con **Reemplazar** se sustituye el texto por el alternativo y se sigue buscando; **Reemplazar todo** localiza todas las apariciones del texto especificado y lo cambia por el nuevo.

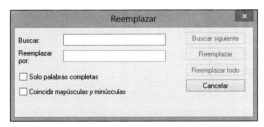

Figura 3.7. Para reemplazar fácilmente.

*En cualquier momento podemos guardar el documento con otro nombre, de modo que conservemos también el original. Para conseguirlo, en la ficha **Archivo** activamos **Guardar como** y, tras elegir su tipo, en el cuadro de diálogo cambiamos el nombre del archivo.*

Como las páginas de este libro son limitadas, vamos a terminar con las posibilidades de edición de WordPad comentando algunos detalles que nos pueden ser de utilidad en determinados momentos:

- WordPad nos ofrece tres opciones diferentes para ver el documento en pantalla, de modo que nos resulte más cómoda su edición; por ejemplo en la figura 3.8 observamos que el texto escrito sobrepasa el margen fijado en la regla. Con Ajuste de línea de la ficha **Ver** haremos la selección de una modalidad de visión u otra, que sólo afectará a la visión del texto en pantalla, no a la forma en que se imprimirá, que es la misma en los tres casos.

- Mediante Imagen del grupo **Insertar** podemos insertar en nuestros documentos de WordPad fotografías que tengamos almacenadas en el equipo, como sucede en la figura 3.9. Una vez insertada la imagen, es posible modificar su tamaño sin más arrastrar los cuadritos que la delimitan o activar **Cambiar tamaño de imagen**, presente tanto en su menú contextual como en Imagen del grupo **Insertar**

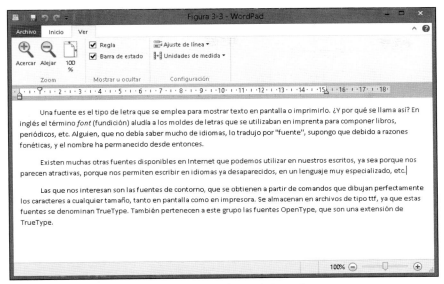

Figura 3.8. Texto fuera de la regla.

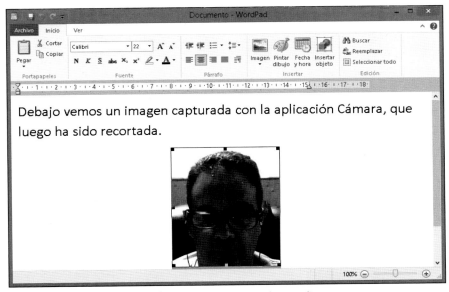

Figura 3.9. Insertada una fotografía.

- En ocasiones nos interesará organizar parte del texto en viñetas, tal y como ocurre en el documento de la figura 3.10. Para añadir viñetas, simplemente hacemos clic en Iniciar una lista del grupo **Párrafo** de la ficha **Inicio**; tras escribir un elemento, pulsando Intro pasamos a la siguiente línea, donde automáticamente se coloca la viñeta. ¿Y cómo terminamos con las viñetas y volvemos a la escritura normal? Basta pulsar Intro dos veces.

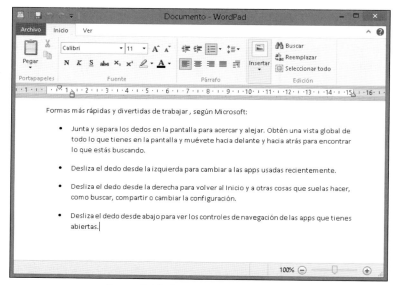

Figura 3.10. Documento con viñetas.

- Supongamos que deseamos copiar en un documento de WordPad parte del texto contenido de una página web. Si lo copiamos de la página web y lo pegamos directamente, podemos encontrarnos con hipervínculos, formatos y posibles códigos extraños, que no suelen causar más que rompimientos de cabeza. ¿Y cómo lo evitamos? Pues quedándonos con el texto puro y duro, que luego maquetaremos como más nos guste. Para conseguirlo, después de copiar el texto de la página web, hacemos clic en la parte inferior de Pegar y ejecutamos Pegado especial.

Con esto damos por finalizado el recorrido por las opciones que nos brinda WordPad para escribir un atractivo documento. ¿Y qué hacemos con él? Si sólo nos interesa conservarlo en el ordenador para leerlo, modificarlo, etc., nuestra tarea ha terminado. Sin embargo, mucha gente todavía imprime sus escritos y, como no es cuestión de dilapidar tinta ni papel, resulta muy aconsejable obtener antes una vista previa del documento, para ver en pantalla cómo quedaría su impresión. De esta forma ahorraremos tiempo y dinero... y los árboles nos lo agradecerán.

En la figura 3.11 observamos un modelo cómo quedarán las páginas impresas del documento. Para conseguirlo, iremos a la ficha **Archivo** y luego, en **Imprimir**, optaremos por **Vista previa de impresión**.

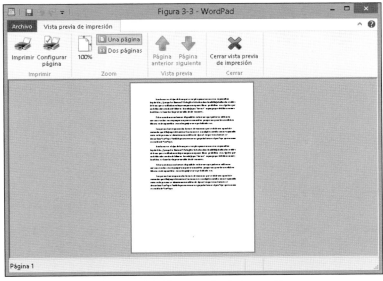

Figura 3.11. Vista previa de impresión.

- Si hacemos clic en la página, el puntero se transforma en una lupa, que nos permite aumentar o disminuir la escala de visión.

- Con **Página siguiente** y **Página anterior** vamos de una página a otra del documento. El mismo efecto conseguimos con las teclas AvPág y RePág.

- Las opciones **Dos páginas** y **Una página** muestran la vista previa de dos páginas simultáneamente o de una sola.

- Si detectamos alguna cosa que no nos gusta, con **Cerrar vista previa de impresión** volvemos al modo de edición para corregir cuanto consideremos oportuno.

¿Ya todo esté perfecto? Entonces, pulsamos Control-P, hacemos clic en **Imprimir** de la figura 3.11 o, si hubiéramos cerrado esa ventana, en **Imprimir** de la ficha **Archivo**, optamos por **Imprimir**.

Se abrirá el cuadro de diálogo de la figura 3.12, donde todavía tenemos más opciones para configurar la impresión: seleccionar otra impresora, imprimir todas las páginas o sólo aquellas comprendidas en un determinado intervalo, obtener más de una copia, etc.

Figura 3.12. Cuadro de diálogo Imprimir.

Al hacer clic en el botón inferior Imprimir, comienza el proceso de impresión y aparecerá el icono de la impresora en el área de notificación de la barra de tareas.

Si lo activamos, se abrirá una ventana donde encontramos opciones, tanto en el menú **Impresora** como en el menú contextual del documento, para detener el proceso momentáneamente (**Pausar la impresión**) o suprimir toda la cola de impresión (**Cancelar todos los documentos**).

ESCRIBIR NOTAS

El Bloc de notas es un sencillo editor de texto que podemos utilizar para leer y modificar toda clase de archivos de texto, tanto los txt como otros varios, que aun siendo de texto poseen distinta extensión, como bat, ini, etc.

¿Y qué ventajas tiene el Bloc de notas frente a WordPad? Si bien el primero se abre más rápidamente y ocupa menos recursos del sistema que WordPad, en los equipos modernos esta consideración apenas tiene importancia. La verdadera utilidad del Bloc de notas radica en que es un editor de texto y deshecha todos los códigos extraños.

En otras palabras, cuando copiamos en él texto de otra aplicación, se eliminan todos esos códigos extraños. Además, con el Bloc de notas también podemos abrir archivos que contienen sólo texto, aunque su extensión no sea txt; por ejemplo, en la figura 3.13 se muestra un típico archivo srt de subtítulos, abierto con el Bloc de notas.

Para abrir este accesorio, seguimos el mismo sistema que con cualquier otro: ir a la lista de aplicaciones, con el acceso **Buscar** o Windows-Q, y en el cuadro de búsqueda introducir su nombre para encontrarlo rápidamente. Como siempre, si estamos en la pantalla Inicio, comenzando a escribir el nombre del accesorio llegamos al mismo sitio.

Su ventana, como apreciamos en la figura 3.13, todavía incluye los menús y comandos clásicos de anteriores versiones de Windows. A pesar de ello, el Bloc de notas es mucho más sencillo que WordPad, así que no tendremos el menor problema en manejar esta aplicación.

```
To Rome With Love.srt: Bloc de notas                    —  □  ×

Archivo  Edición  Formato  Ver  Ayuda

9
00:02:13,767 --> 00:02:17,157
In this city were born many stories.

10
00:02:17,967 --> 00:02:23,087
(Firefighter) You see that young man?
Is Roman and is called Michelangelo.

11
00:02:23,127 --> 00:02:27,484
Sorry... where the Trevi Fountain?

12
00:02:27,527 --> 00:02:32,282
- Er... do two blocks... -
Two blocks away. - And cross the square.

13
00:02:32,327 --> 00:02:38,596
- Ok, that is square Mignanelli? - No.
- Piazza di Spagna is there? - No. - Okay.
```

Figura 3.13. Archivo abierto en el Bloc de notas.

Si creamos un nuevo archivo en el Bloc de notas y colocamos como primera línea del texto los caracteres .LOG (así, en mayúsculas), cada vez que abramos el archivo se añadirá de forma automática la fecha y hora del sistema a su final. De esta forma, podemos llevar cómodamente un registro de actividades.

El accesorio Notas rápidas es el equivalente virtual a las notas adhesivas que tanto pululan por oficinas y despachos. Sólo tenemos que activarlo (¿ya no hay que especificar cómo, verdad?) e inmediatamente tendremos en el escritorio una nota, como la mostrada en la figura 3.14, donde podemos escribir aquello que deseemos.

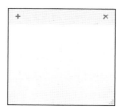

Figura 3.14. Nota rápida vacía.

Observemos los dos botones que aparecen en la parte superior de la nota rápida (si no están visibles, situaremos el puntero del ratón ahí para mostrarlos). Haciendo clic en el de la izquierda, que equivale a Control-N, creamos una nueva nota rápida; con el de la derecha (Control-D) suprimimos la nota, si confirmamos su eliminación.

- Como sucede con cualquier otra ventana, podemos variar el tamaño y ubicación de una nota rápida siguiendo el procedimiento habitual.

- Hay disponibles varios colores para las notas rápidas. Basta con desplegar el menú contextual de la zona de escritura y ahí elegimos el nuevo color.

- Una vez seleccionado parte del texto de una nota rápida, podemos cambiarlo a negrita, a cursiva, subrayarlo o tacharlo con las combinaciones de teclas Control-B, Control-I, Control-U y Control-T, respectivamente. Repitiendo la misma combinación, retornamos al formato anterior.

- Otras combinaciones de teclas que afectan al texto seleccionado son las siguientes: Control-Mayús-, (reduce el tamaño), Control-Mayús-. (aumenta el tamaño), Control-Mayús-A (pasa a mayúsculas) y Control-Mayús-L (cambia a formato lista),

Por ejemplo, en la nota rápida de la figura 3.15 podemos apreciar el efecto de algunas de las combinaciones anteriores.

Figura 3.15. Un nota rápida.

INSERTAR CARACTERES ESPECIALES

Hasta el momento hemos podido insertar en nuestros documentos de WordPad y textos del Bloc de notas cualquier carácter que está disponible en el teclado. Sin embargo, Windows 8 incluye muchos otros caracteres que también podemos incluir en nuestros escritos, gracias a un nuevo accesorio: el Mapa de caracteres.

¿Verdad que ya no es preciso comentar cómo activamos el Mapa de caracteres? Su ventana se muestra en la figura 3.16 y utilizando la barra de desplazamiento lateral podemos ir viendo los diferentes caracteres que hay en la fuente actual.

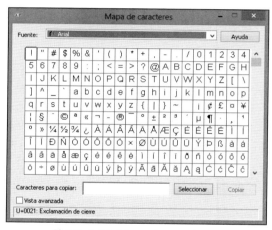

Figura 3.16. Mapa de caracteres.

¿Y cómo cambiamos de fuente? Haciendo clic en la flecha situada a la derecha del campo **Fuente**, desplegamos el listado de fuentes disponibles y seleccionamos la nueva (seguro que en Wingdings te entretienes un buen rato).

Al hacer clic sobre un carácter lo ampliamos, como vemos en la figura 3.17. Arrastrando el ratón o manejando los cursores, iremos viendo ampliados los diferentes caracteres.

Figura 3.17. Un carácter ampliado.

Si nos fijamos bien observaremos que algunos caracteres muestran una combinación de teclas en la parte derecha de la barra de estado; por ejemplo, en la figura 3.17 es Alt+0188. Recordando esa combinación numérica, podemos escribir el carácter correspondiente en cualquier aplicación de Windows 8.

¿Y cómo se hace? Sólo tenemos que mantener pulsada la tecla Alt y, en el teclado numérico, pulsar sucesivamente 0, 1, 8 y 8. Al soltar Alt, tendremos insertado el carácter en un texto o documento, en una presentación de PowerPoint, etc.

La pulsación de teclas de las combinaciones del Mapa de caracteres siempre debemos hacerla en el teclado numérico.

Es evidente que el método anterior sólo resulta cómodo cuando se trata de uno o dos caracteres que manejamos con mucha frecuencia; en otro caso, es preferible que Windows 8 se encargue de memorizar las cosas. Así, cuando queramos incluir en nuestros escritos algunos de los caracteres disponibles en el mapa de caracteres, haremos lo siguiente:

1. Seleccionamos cada carácter que nos interese, bien con un doble clic o un clic y **Seleccionar**.

2. Los caracteres seleccionados se presentan en el campo inferior **Caracteres para copiar**. Si alguno sobra, podemos suprimirlo en la forma habitual.

3. Con el botón **Copiar** pasamos esos caracteres a la memoria del ordenador.

4. Abrimos el texto y pegamos los caracteres.

El Editor de caracteres privados es otro accesorio de Windows 8 y podríamos considerarlo como el complemento del Mapa de caracteres, ya que nos permite diseñar nuestros propios caracteres o modificar algunos existentes. De este modo, podemos crear un carácter con el logotipo de la empresa (reducido, claro está), un ideograma o, incluso, nuestra firma.

Para crear un carácter privado hacemos lo siguiente:

1. Activamos el Editor de caracteres privados, siguiendo el procedimiento habitual. Se abre su ventana, que vemos en la figura 3.18.

2. Hacemos clic en el recuadro correspondiente al código que tendrá el carácter que vamos a diseñar. Por ejemplo, elegimos el primero que está libre y hacemos clic en **Aceptar**.

3. Pasamos a la cuadrícula donde dibujaremos nuestro carácter, para lo que disponemos de las sencillas herramientas del lateral izquierdo.

4. Supongamos que ya hemos terminado nuestra obra maestra (el dibujo de la figura 3.19 no es gran cosa, pero para una prueba nos sirve). Entonces, en **Archivo** ejecutamos **Vínculos de fuente**.

5. Tras confirmar, con **Sí**, que deseamos guardar el carácter, debemos decidir si lo tendremos disponible con todas las fuentes del sistema o sólo con aquellas que seleccionemos. Por ejemplo, activemos **Vincular con todas las fuentes** y hagamos clic en **Aceptar**.

6. Ya podemos cerrar el Editor de caracteres privados.

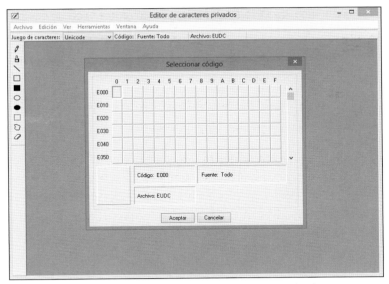

Figura 3.18. Ventana del Editor de caracteres privados.

Figura 3.19. Carácter diseñado.

Una vez que hemos creado un carácter privado, ¿cómo hacemos para insertarlo en cualquier aplicación? El procedimiento a seguir es muy sencillo:

1. Abrimos el Mapa de caracteres.

2. Desplegamos la lista de **Fuente** y seleccionamos aquella a la que hemos vinculado el carácter, que tenga el añadido `(Caracteres privados)`. En caso de que lo hubiésemos vinculado a todas ellas, la fuente a buscar sería, como en la figura 3.20, `Todas las fuentes (Caracteres privados)`.

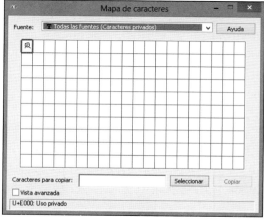

Figura 3.20. Todas las fuentes (Caracteres privados).

3. Ahora ya sólo tenemos que seguir el procedimiento habitual para incluir nuestro propio carácter en cualquier aplicación.

¿Te apetece diseñar algún carácter propio? ¿Serías capaz de crear algo reconocible juntando cuatro o cinco caracteres propios?

IMPRIMIR EN UN ARCHIVO

Los archivos pdf son muy comunes en Internet, debido a que se pueden leer en cualquier plataforma, no sólo en Windows, y, sobre todo, porque no son modificables (al menos no resulta tan sencillo hacerlo como alterar un documento). Por este motivo, muchos artículos, convocatorias, boletines oficiales, etc., se distribuyen en pdf, para tener la seguridad de que no sufren modificaciones ajenas durante su distribución por Internet.

Hasta hace pocos años el tipo pdf ha sido el rey indiscutible de esta clase de documentos; sin embargo, la situación está cambiando porque Microsoft no quiere quedarse al margen en este campo y oferta una alternativa propia: los documentos XPS, que corresponden a archivos de extensión oxps y xps.

Las características de los documentos XPS son parecidas a las de los archivos pdf; es decir, no pueden ser alterados fácilmente, su aspecto en pantalla es similar al que tendrán impresos, se visualizan en cualquier equipo, etc.

Entonces, ¿qué ventajas ofrecen frente a los archivos pdf? La principal es que podemos leer y crear documentos XPS directamente con Windows 8, sin necesidad de instalar software adicional en el equipo, como es imprescindible hacer en el caso de los pdf, cuya creación, además, puede conllevar un cierto desembolso económico.

XPS son las siglas de XML Paper Specification, donde XML corresponde a eXtensible Markup Language (lenguaje de marcado extensible), un lenguaje que comenzó a desarrollarse en 1998 para superar las carencias y limitaciones del popular HTML, que es el acrónimo de Hyper-Text Markup Language (lenguaje de marca de hipertexto).

Por otro lado, oxps corresponde a OpenXPS.

Y para no dejar nada en el tintero, pdf son las siglas de Portable Document Format (formato de documento portátil) y fue desarrollado por Adobe Systems.

¡Menuda sopa de letras!

¿Y cómo creamos un documento XPS? Muy fácilmente, como veremos a continuación:

1. Cuando estemos en cualquier aplicación de Windows 8 (como WordPad, por ejemplo) y nos interese conservar nuestro trabajo en un archivo xps o en un archivo oxps, abrimos el cuadro de diálogo **Imprimir** (generalmente con **Control-P**).

2. Al igual que sucede en la figura 3.21, ahí tendremos la impresora Microsoft XPS Document Writer. La seleccionamos.

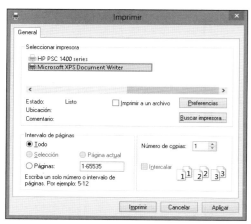

Figura 3.21. Elegimos la impresora Microsoft XPS Document Writer.

3. Hacemos clic en el botón **Imprimir** y se abre el conocido cuadro de diálogo **Guardar como**, donde introducimos el nombre que tendrá el archivo, seleccionamos su tipo y especificamos la carpeta donde se guardará.

4. Con un clic en **Guardar**, se genera el documento XPS que contiene lo que hemos escrito en WordPad, dibujado en Paint, etc.

Ahora, si vamos a la carpeta que hemos señalado como ubicación en el paso 3, encontraremos el icono del documento XPS recién creado, que muestra la aplicación que lo abre por defecto (en las vistas Iconos pequeños, Lista y Detalles) o un esbozo de su contenido (en las otras vistas).

¿Y qué aplicación abre los documentos XPS por defecto? Pues precisamente aquella que dejamos de lado en el primer capítulo: Lector, que también tiene asignados los archivos pdf. Es decir, si activamos el icono de cualquier documento XPS o archivo pdf, por defecto se pondrá en marcha la aplicación Lector para presentárnoslo. En la figura 3.22 vemos un ejemplo de su pantalla, con sus comandos inferiores mostrados (recordemos lo hacemos con un clic del botón secundario del ratón).

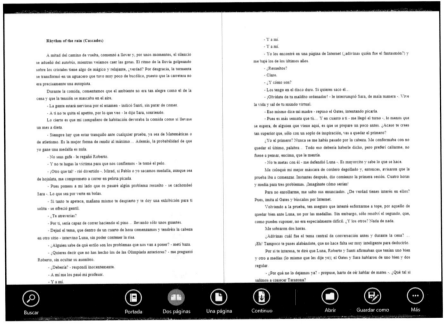

Figura 3.22. Archivo abierto en Lector.

- Por defecto vemos el documento de forma continua y podemos movernos por él utilizando las teclas de desplazamiento, la barra lateral derecha o la rueda de razón.

- Si cambiamos de modalidad de visionado, con los comandos **Dos páginas** o **Una página**, en mitad de los laterales de la pantalla disponemos de botones para retroceder o avanzar a la siguiente pantalla.

- En cualquiera de los tres casos anteriores encontramos, en la esquina inferior derecha, los botones − y +, con los que controlamos la escala de visión. Cuando estamos al tamaño inicial y hacemos clic en −, se muestran todas las páginas del documento.

- **Buscar** nos permite encontrar rápida y cómodamente todas las apariciones de un texto en el documento abierto. En cuanto a la utilidad de los comandos **Abrir** y **Guardar como**, su propio nombre nos la indica.

- El comando **Más** nos oferta girar 90 grados el visionado, para facilitarnos la lectura de algunos documentos que tienen parte de su contenido con otra orientación; también nos brinda la posibilidad de acceder a información sobre el archivo y cerrarlo, continuando en Lector.

- Al tratarse de una aplicación de la pantalla Inicio, podemos manejar Lector como las otras aplicaciones vistas en el capítulo inicial del libro; así, por ejemplo, con el acceso **Dispositivos** podemos imprimir el archivo y con el acceso **Compartir** enviar el archivo abierto por Correo o a SkyDrive.

Además, Windows 8 incorpora una aplicación de escritorio, el Visor de XPS, con la que también podemos abrir documentos XPS, tanto oxps como xps, aunque no los archivos pdf. Por el momento, y hasta que veamos dentro de nada cómo cambiar la aplicación predeterminada para un tipo de archivo, lo que haremos es activar el Visor de XPS y, luego, abrir el documento XPS que nos interese.

Ya no hace falta explicar cómo poner en marcha una aplicación, ¿verdad? Así que pasamos a comentar algunas cosas sobre la ventana del visor de XPS, que incorpora dos barras de herramientas, como apreciamos en la figura 3.23.

- La superior incluye **Archivo**, **Permisos** y **Firmas**, mediante los cuales podemos, respectivamente, abrir/guardar/imprimir el documento XPS, gestionar sus permisos y firmarlo digitalmente, para certificar que no se ha cambiado desde su firma. A la derecha de esta barra de herramientas disponemos de botones para mostrar el panel de esquema, imprimir el documento XPS, cambiar el zoom de visionado y un campo para buscar texto.

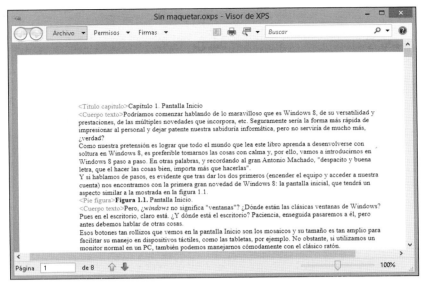

Figura 3.23. Viendo un documento XPS.

- La barra de herramientas inferior nos permite desplazarnos a otras páginas del documento XPS y ajustar el tamaño de visión (al disminuirlo lo suficiente vemos varias páginas simultáneamente).

Con F11 el Visor de XPS se muestra a pantalla completa. Una nueva pulsación de F11 retorna la ventana a su tamaño anterior.

HACER CÁLCULOS

Tarde o temprano todo el mundo nos vemos en la necesidad de efectuar algún cálculo, sobre todo en época de vacas flacas, cuando es necesario apretarse el cinturón a veces. Para facilitarnos un poquito la vida, Windows 8 incluye como accesorio una excelente calculadora de amplias prestaciones.

En la figura 3.24 observamos la ventana de la Calculadora, que ya sabemos perfectamente cómo abrir, ¿verdad? Además, si vamos a manejarla con cierta frecuencia, no cuesta nada anclarla a la barra de tareas.

Figura 3.24. Una magnífica calculadora.

Windows 8 nos ofrece cuatro modalidades de la Calculadora y podemos cambiar de una a otra mediante los comandos del menú **Ver**. Seguidamente vamos a ver cómo manejar la más sencilla, que corresponde a la figura 3.24, y nos olvidaremos de las otras tres, que dejamos para especialistas… Lo siento; éste no es el lugar más apropiado para hablar de logaritmos, cosenos, desviación estándar, factoriales, etc.

- Los números y los operadores aritméticos habituales (+, -, * y /) podemos introducirlos con el ratón o mediante el teclado. Para obtener el resultado de la operación, pulsamos Intro o el botón =.

- Si nos confundimos al introducir las expresiones, disponemos de los tres botones situados sobre el teclado numérico para corregir el error: ←, CE y C que eliminan, respectivamente, el último dígito, el último número y el cálculo actual.

- Inicialmente, los números se presentan con todas sus cifras seguidas. Si preferimos verlos con el separador de miles (por ejemplo, 12.345 en lugar de 12345), en el menú **Ver** ejecutaremos **Número de dígitos en grupo**.

- Las otras cuatro teclas del bloque central de la Calculadora aluden al número del visor y su utilidad es: cambiar su signo, hallar su raíz cuadrada, pasarlo a porcentaje y calcular su inverso. La única que quizás precise un comentario es la relativa al porcentaje, que muestra de esta forma el resultado de una multiplicación; así, por ejemplo, como 25 por 6 es 150, que es 1,5%, obtendremos precisamente 1,5 tras multiplicar 25 por 6 y pulsar esa tecla en lugar de Intro.

- Si en algún cálculo pretendemos efectuar una operación no válida, como dividir por cero o hallar la raíz cuadrada de un número negativo, en el visor aparecerá un mensaje de error. Para continuar con la Calculadora, pulsaremos CE o C.

- Cuando el número de dígitos de un cálculo supera los que caben en el visor, se presenta en notación científica. Es decir, si vemos un número y, luego, la letra *e* seguida de otro número, debemos entender que se trata del producto del primer número por 10 elevado al segundo.

Para realizar operaciones donde intervienen muchos números resulta cómodo utilizar la memoria de la Calculadora, que se controla con las cinco teclas situadas bajo el visor (cuando hay algo en memoria, a la izquierda del visor aparece la letra M a modo de recordatorio):

- MC elimina el contenido de la memoria.

- MR presenta el número almacenado en memoria.

- MS pasa a la memoria el número del visor.

- M+ suma el número del visor al almacenado en memoria.

- M- resta el número del visor al almacenado en memoria.

¿Y cómo pasamos números de la Calculadora a otra aplicación, como WordPad, y viceversa? Pues con la clásica técnica de copiar y pegar que ya conocemos.

- Con **Copiar** del menú **Edición** o Control-C pasamos el número del visor a la memoria de Windows 8 y, seguidamente, podemos pegarlo en cualquier aplicación.

- Con **Pegar** del menú **Edición** o Control-V colocamos en el visor cualquier número que estuviese almacenado en la memoria de Windows 8.

Pero, además de todo cuanto acabamos de ver, la Calculadora de Windows 8 nos guarda algunas sorpresas muy curiosas e interesantes, a las que accedemos mediante los tres últimos comandos del menú **Ver**. Todos ellos amplían la ventana de la Calculadora y nos permiten realizar fácilmente diversos cálculos prácticos; cuando acabemos, con el comando **Básicas** anularemos la ampliación de la ventana, si lo deseamos.

- **Conversión de unidades** convierte unidades de un sistema a otro. Desplegando las listas que se ofrecen, podemos pasar de kilómetros a millas, de libras a kilos, etc.

- **Cálculo de fecha** nos brinda la posibilidad de averiguar cuántos días han transcurrido entre dos fechas dadas… Ideal para saber cuántos días hemos vivido o sorprender a alguien con un regalo cuando cumpla un múltiplo de mil días.

- **Hojas de cálculo** ofrece opciones para calcular el importe a pagar por una hipoteca, el consumo del vehículo, etc.

Por ejemplo, vamos a utilizar esta última alternativa para efectuar un cálculo práctico y cotidiano. Supongamos que un banco nos concede un préstamo de veinte mil euros para comprar un coche, a devolver en cinco años, con un interés del 10% anual y nuestros pagos serán mensuales. ¿Cuánto tendremos que abonar cada mes al banco?

Si en **Hojas de cálculo** seleccionamos **Hipoteca** e introducimos esos datos, enseguida sabremos la respuesta. Como observamos en la figura 3.25, cada mensualidad deberemos pagar algo más de 424 euros.

Figura 3.25. Cálculo de pagos en un préstamo.

Además, si copiamos ese valor en el visor y lo multiplicamos por 12, para pasar a años, y también por 5, que la duración del préstamo, resulta algo más de 25.496 euros, que es la cantidad total que habremos abonado.

Así pues, ¿cuánto nos cuesta el coche? ¿Los veinte mil euros de su precio de compra o los más veinticinco mil pagados?

LOS PROGRAMAS

Aunque Windows 8 incorpora una serie de útiles aplicaciones y accesorios y, además, podemos descargarnos muchas cosas de la Tienda, es muy posible que tarde o temprano acabemos instalando en el equipo otros programas adiciones, especialmente diseñados para el escritorio: ofimática, diseño gráfico, etc.

La mayoría de este software lleva su propio programa de instalación y sólo tenemos que seguir sus instrucciones para instalarlo en nuestro equipo. Es decir, metemos el disco en la lectora y poco más, si todavía se distribuye en CD o DVD, o ejecutamos el archivo de instalación correspondiente, cuyo nombre generalmente será `Setup` o `Instalar`.

Si, más adelante, el programa deja de sernos de utilidad y deseamos quitarlo de equipo, lo desinstalaremos desde la ventana de la figura 3.26, que podemos abrir de diversas formas:

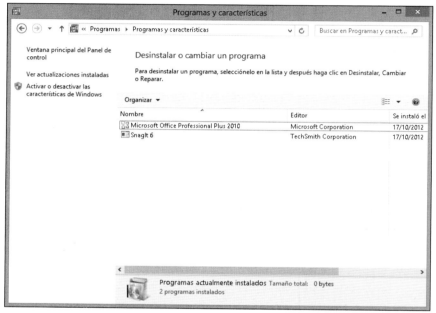

Figura 3.26. Desinstalar un programa.

- Seguir el camino estándar: ir al acceso **Buscar** o pulsar Windows-W y, luego, introducir como criterio de búsqueda `desinstalar programa`, por ejemplo.

- Movernos por el clásico Panel de control, muy manejado en anteriores versiones de Windows pero que ahora ya no resulta tan útil: ir al acceso **Configuración** o pulsar Windows-I; en la parte superior, activar **Panel de control** y, en la categoría **Programas**, activar el enlace **Desinstalar un programa**. ¿Verdad que de esta alternativa no resulta tan cómoda como la anterior?

Una vez seleccionado un programa de la lista de la figura 3.26, podemos desinstalarlo, cambiarlo o repararlo (no en todos los casos), sin más que hacer clic en el correspondiente botón.

*Para eliminar un programa del equipo, nunca debemos suprimir manualmente su carpeta en **Archivos de programa**. ¡Nunca! Haremos las desinstalaciones según acabamos de ver.*

Cuando tengamos varias aplicaciones instaladas en nuestro equipo, nos encontraremos con la particularidad de que un determinado tipo de archivos puede abrirse con más de un programa. Por ejemplo, sin instalar nada en Windows 8, resulta que un documento de texto por defecto se abre con el Bloc de Notas, pero también podemos editarlo con WordPad; una fotografía en principio se abre con la aplicación Fotos, si bien podríamos utilizar las aplicaciones de escritorio Paint o el Visualizador de fotos; etc.

Por otro lado, algunas personas son un tanto descuidadas a la hora de instalar cosas y ni siquiera leen lo que pone en pantalla, limitándose a hacer clic en Siguiente. En este caso, es muy probable que algunas de las nuevas aplicaciones se "apodere" de determinados tipos de archivos y se ponga en marcha cuando abrimos uno de esos archivos.

En resumen, habrá ocasiones en que nos interesará cambiar la aplicación que abre un determinado tipo de archivos, porque preferimos otra distinta de la preestablecida por Windows 8 o porque uno de los programas instalados se ha autoasignado el control de ese tipo.

Si deseamos llevar a cabo dicho cambio, sólo tenemos que desplegar el menú contextual de un archivo del tipo deseado y ejecutar **Abrir con**, que abre un menú donde se listan los programas instalados en el equipo que abren ese tipo de archivos. Por ejemplo, en la figura 3.27 observamos las dos aplicaciones nativas de Windows 8 que abren archivos mp3.

Figura 3.27. Aplicaciones que reproducen mp3.

Al escoger uno de los programas de la lista, el archivo se abrirá con él momentáneamente. ¿Y en las restantes ocasiones? Al abrirlo se pondrá en marcha la aplicación a la que está asociado.

¿Y no hay forma de hacer permanente la asignación? Claro que sí, con **Elegir programa predeterminado** de la figura 3.27.

Se despliega entonces una ventana similar a la mostrada en la figura 3.28, donde se indica el programa que tiene asociado actualmente ese tipo de archivos y debajo se listan otros varios (o ninguno), que también pueden abrir ese tipo en concreto. Si optamos por cambiar la aplicación predeterminada, sólo debemos hacer clic sobre la nueva y el programa que elijamos ahora será el que abrirá, a partir de este momento, todos los archivos de ese tipo.

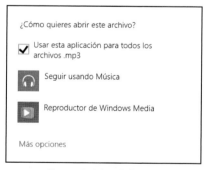

Figura 3.28. Abrir con.

Desde la ventana **Programas predeterminados** *se amplían las opciones para establecer programas predeterminados, asociar programas a tipos de archivos, etc. ¿Imaginas cómo nos desplazamos a ella? En efecto, con el acceso* **Buscar** *o pulsar* Windows-Q.

Accesos directos y compatibilidad

Ya sabemos que la pantalla Inicio y la lista de aplicaciones nos permiten acceder a cualquiera de los programas instalados en Windows 8. Sin embargo, en versiones anteriores de Windows esos elementos no estaban presentes y, para localizar fácilmente un programa, se nos brindaba la posibilidad de crear accesos directos a las aplicaciones, de modo que sólo teníamos que activar su correspondiente acceso directo para abrirla.

¿Y qué es exactamente un acceso directo? Pues, como su nombre indica, se trata de un icono que, al activarlo, abre un programa, una carpeta, etc. Visualmente, se distingue el icono de un acceso directo por llevar una flecha en su esquina inferior izquierda; por ejemplo, en la figura 3.29 vemos el icono del acceso directo a un programa.

Figura 3.29. Icono de un acceso directo.

Como no nos interesa crear accesos directos a programas, sólo nos encontraremos con ellos si hemos instalado software no diseñado para Windows 8. ¿Y entonces qué sucede? Nada especial, excepto que durante el proceso de instalación es posible que se haya creado algún acceso directo al programa en el escritorio automáticamente.

Si nos resulta cómodo, lo dejamos ahí y lo utilizamos como una alternativa más para acceder al programa. En caso contrario, podemos borrarlo sin preocuparnos lo más mínimo, porque cualquier operación que hagamos con un acceso directo (cambiarle el nombre, moverlo, etc.), sólo afecta al acceso directo, no al elemento al que enlaza.

Aunque los accesos directos a programas sean superfluos en Windows 8, sí que puede resultarnos de utilidad crear accesos directos en el escritorio a carpetas e, incluso, a archivos o unidades, de modo que su apertura será cuestión de un mero clic, sin la necesidad de localizarlas previamente.

El método más simple y rápido para crear en el escritorio un acceso directo a una carpeta o archivo es desplegar su menú contextual y, en **Enviar a**, ejecutar **Escritorio (crear acceso directo)**. ¡Ya tenemos el acceso directo en el escritorio!

- Si desplegamos el menú contextual de un elemento y ejecutamos **Crear acceso directo**, obtenemos un acceso directo en la carpeta actual y, luego, siempre podemos arrastrarlo al escritorio.

- Para crear en el escritorio un acceso directo a una unidad de disco, sólo tenemos que localizar el icono de la unidad en el Panel de navegación y arrastrarlo hasta el escritorio.

Y para terminar el capítulo vamos a comentar la cuestión de la compatibilidad, relacionada con los programas no muy modernos que haya en el equipo.

Algunos viejos programas, especialmente pequeñas aplicaciones, requerían que la pantalla estuviese configurada a 256 colores y/o que su resolución fuese de 640 x 480. Como es fácil suponer, estos programas de hace una década o más es probable que no funcionen en Windows 8.

En muchas ocasiones el problema no tiene solución, porque nuestro sistema operativo es ahora de 64 bits en lugar de 32 o porque el juego se apoderaba de zonas de la memoria que ya no están libres, por ejemplo. No obstante, hay veces en que sí resulta posible recuperar ese tipo de software, haciendo la siguiente prueba:

1. Localizamos el acceso directo al programa.

2. En su menú contextual, ejecutamos **Propiedades** y nos desplazamos a la ficha **Compatibilidad**, mostrada en la figura 3.30.

Figura 3.30. Compatibilidad.

3. Activamos la casilla **Ejecutar este programa en modo compatibilidad para** y seleccionamos la versión de Windows en que funcionaba el programa.

4. En la sección **Configuración** activamos las casillas que consideremos oportunas y hacemos clic en **Aceptar**.

Si conseguimos que el programa funcione (algo que no siempre sucede, desafortunadamente), cuando lo cerremos la pantalla recuperará sus anteriores características.

Los discos

y las cuentas de usuario

En este capítulo nos vamos a centrar en la grabación de archivos en unidades extraíbles y discos, de modo que nuestros datos estén siempre seguros y podamos llevarlos de un sitio a otro. Además veremos cómo gestionar las cuentas de usuario, para que otras personas puedan utilizar el equipo de forma independiente.

Sin embargo, antes de pasar a ver estos temas, es conveniente hacer un breve comentario sobre un aspecto de las unidades de medida que puede despistarnos.

La capacidad de las unidades de almacenamiento

Como ya sabemos, la unidad más pequeña de información (un uno o un cero) recibe el nombre de bit y el conjunto de 8 bits se llama byte. Hace muchos años, cuando se estableció el valor de los múltiplos, se decidió trabajar con 1024, ya que es un número cercano a mil (las personas lo manejamos con soltura) y, además, es una potencia exacta de 2 (perfecto para las máquinas cibernéticas).

Así pues, el kilobyte o KB equivale a 1024 bytes; el megabyte o MB es 1024 KB, algo más de un millón de bytes. A su vez, el gigabyte o GB, el popular giga, equivale a 1024 MB; el terabyte o TB son 1024 GB… Las siguientes son petabyte (PB), exabyte (EB), zettabyte (ZB), yottabyte (YB), brontobyte (BB), etc.

Sin embargo, las empresas que fabrican medios de almacenamiento, utilizan el sistema métrico para expresar su capacidad. Es decir, van de mil en mil y eso hace que haya una pequeña diferencia entre el espacio nominal de un disco y el espacio real disponible para almacenar archivos en él.

¿Y es mucho? Vamos a comprobarlo, con una sencilla prueba.

1. Activamos el Explorador de archivos o abrimos cualquier carpeta del equipo.

2. En el Panel de navegación, localizamos en `Equipo` nuestro disco local.

3. Desplegamos su menú contextual y ejecutamos **Propiedades**; obtendremos una ventana similar a la mostrada en la figura 4.1.

Figura 4.1. Propiedades de un disco local.

Centrémonos en su zona central. En este caso concreto, la empresa lo comercializó como un disco de 250 GB y lo cierto es que su capacidad supera en algo los 250 mil millones de bytes. Sin embargo, a su derecha se nos indica que, al grabar archivos en él, no podemos superar los 233 GB.

¡Una diferencia nada despreciable!

No, no es un timo, ni mucho menos. Se trata de una ambigüedad en la medida de la capacidad que debemos tener en cuenta en algunas ocasiones.

¿Y sólo afecta a los discos duros locales? No, pasa lo mismo con cualquier medio de almacenamiento. Por ejemplo, haciendo lo mismo de antes con un *pen drive* (enseguida vamos con ellos) de 32 GB, Windows 8 nos dice que el espacio libre es de 29,8 GB.

¿Más ejemplos? Prestemos atención a la carátula de la figura 4.2. En ella leemos que se trata de un DVD de 4,7 GB… y, como podemos imaginar, resulta imposible grabar 4,7 GB de datos en él.

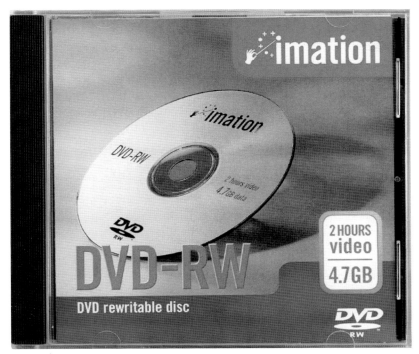

Figura 4.2. Disco DVD.

Entonces, ¿cuál es la capacidad real de un DVD de 4,7 GB? Pues vamos a averiguarlo por nuestra cuenta, con ayuda de la Calculadora y así practicamos de nuevo con ella.

Como los múltiplos se basan en 1024, un GB tiene 1024 MB y cada uno de estos 1024 KB, que a su vez equivalen 1024 bytes; por tanto, para averiguar cuántos bytes tiene un GB, sólo tenemos que multiplicar 1024 x 1024 x 1024.

El resultado es 1.073.741.824 bytes. Como en el DVD caben 4.700.000.000 bytes, sólo tenemos que dividir esta cantidad por la anterior… y nos sale 4,377…

En otras palabras, en un DVD de 4,7 GB sólo podemos grabar un máximo de 4,37 GB informáticos.

¡Quién nos lo iba a decir!

LAS UNIDADES USB

Con el inicio del nuevo siglo empezó a popularizarse un nuevo medio de almacenamiento de datos, cuyo nombre en inglés es *pen drive*. Según el diccionario de la RAE, en nuestro idioma se debe llamar memoria USB, aunque también se utilizan cotidianamente otras denominaciones: unidad USB, disco extraíble, unidad flash, lápiz disco, pen, etc.

¿Y qué es eso que puede adoptar tantos nombres? Simplemente un periférico que se conecta al puerto USB del equipo y nos brinda una nueva unidad, que podemos gestionar en la forma habitual. Por ejemplo, en la figura 4.3 vemos uno de reducido tamaño, muy habitual en bolsillos y bolsos.

Figura 4.3. Una memoria USB.

Si bien todavía son muy comunes los pequeños lápices USB para guardar archivos, cada día se popularizan más los discos duros portátiles de gran capacidad que se conectan a un puerto USB y se manejan igual que el disco duro que hay dentro del equipo, con la ventaja de que podemos llevarlo de un ordenador a otro y, de esta forma, trasladamos varios gigas en poco tiempo y muy cómodamente.

En Windows 8 todas estas unidades extraíbles que acabamos de ver se gestionan de forma similar y, para conectarlas al equipo, sólo tenemos que introducirlas en un puerto USB.

Los puertos USB delanteros y traseros del equipo no son exactamente iguales. Si al conectar una unidad extraíble en un puerto USB delantero tenemos problemas, no cuesta nada probar a conectarla en un puerto USB de la parte trasera.

La primera vez que conectamos una unidad extraíble al equipo, Windows 8 instala automáticamente los archivos necesarios para reconocerla en el futuro, al igual que sucede con el disco duro extraíble de la figura 4.4.

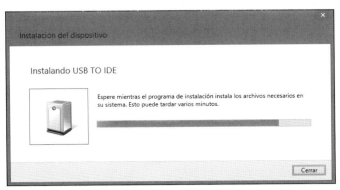

Figura 4.4. Instalación del dispositivo.

Por defecto, y como vemos en la figura 4.5, tras introducir la unidad extraíble en el puerto USB, Windows 8 nos ofrece diversas alternativas. ¿Cuál de ellas elegimos? En el entorno doméstico, mucha gente opta por una de las dos últimas opciones, cuyo nombre indica claramente su utilidad; sin embargo, las dos primeras también pueden servirnos de utilidad en determinadas ocasiones.

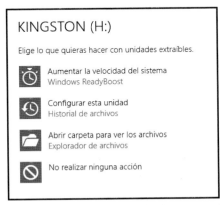

Figura 4.5. Opciones de reproducción automática.

- **Aumentar la velocidad del sistema** utiliza parte del espacio de la unidad extraíble para acelerar el equipo. Es una opción a considerar cuando disponemos de un disco duro portátil que no sacamos de paseo a menudo.

- **Configurar esta unidad** nos abre la ventana del Historial de archivos, que, si lo activamos, nos permite guardar copias de nuestros archivos para recuperarlos en caso de pérdida.

¿Y si después de haber optado por una modalidad de reproducción automática queremos cambiar a otra? En el acceso **Buscar** *introducimos como criterio de búsqueda, por ejemplo,* **reproducción automática** *y abrimos la utilidad de ese mismo nombre.*

Desactivando la casilla **Usar la reproducción automática para todos los medios y dispositivos***, evitamos que Windows 8 nos pregunte qué hacer en todos los casos.*

También podemos seleccionar un medio y asignarle una acción predeterminada: reproducirlo, abrir la carpeta, no hacer nada, preguntar cada vez, etc.

Finalmente, con Guardar *conservamos nuestra configuración personal.*

Si tenemos cerrada la ventana de la unidad USB y, por cualquier motivo queremos abrirla de nuevo, la encontramos en el Panel de navegación, bajo `Equipo`. Curiosamente, no todas las memorias USB se ubican en el mismo sitio de la ventana `Equipo`.

Por ejemplo, en la figura 4.6 aparecen seleccionadas dos memorias USB. La superior corresponde a un disco de 500 GB y Windows 8 la sitúa entre los discos duros; en cambio la inferior, un pen drive de 32 GB, aparece calificada como disco extraíble.

Para copiar elementos de la unidad USB al disco duro local o viceversa, lo habitual es abrir las ventanas de las carpetas origen y destino y, luego, arrastrar los iconos correspondientes. También podemos utilizar la clásica técnica de copiar/cortar y pegar.

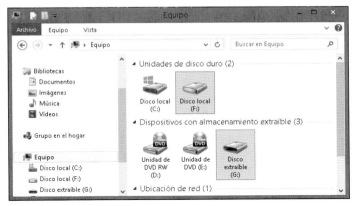

Figura 4.6. Dos memorias USB.

Como es muy habitual la copia de carpetas y archivos en las unidades USB, Windows 8 nos oferta más alternativas para realizar esta operación:

- Arrastrar los elementos hasta el icono correspondiente a la unidad USB en el Panel de navegación.

- Desplegar el menú contextual de los elementos seleccionados y, en **Enviar a**, indicar la unidad de destino.

Cuando conectamos al equipo una cámara de fotos o una tarjeta de memoria con imágenes, se nos brinda la posibilidad de importarlas. Si elegimos esta opción, se pondrá en marcha la aplicación Fotos y nos mostrará una pantalla análoga a la de la figura 4.7.

1. Anulamos la selección de las imágenes que no nos interesen.

2. En principio se guardarán en una carpeta de la biblioteca `Imágenes` y su nombre será la fecha en que se tomaron las fotografías, en formato año-mes-día, que resulta muy cómodo para ordenar las carpetas cronológicamente. Si preferimos otro nombre o añadir un texto al presentado, lo escribimos en el campo Inferior

Figura 4.7. Importación de imágenes.

3. Con **Importar** copiamos las imágenes en nuestro equipo. Al terminar el proceso, se nos ofrece un botón para abrir la carpeta y ver las imágenes importadas.

¿Y cómo desconectamos una unidad USB del equipo? Previamente a la extracción de la unidad del puerto USB es aconsejable cerrar todas sus ventanas y, luego, realizar cualquiera de las siguientes acciones:

- En el área de notificación localizamos el icono de extracción segura; si no lo vemos, hacemos clic en la flecha **Mostrar iconos ocultos** para mostrarlo, como sucede en la figura 4.8. Al activar dicho icono, se nos ofrece la opción de expulsar de forma segura cualquiera de las diferentes unidades USB que tengamos conectadas al equipo.

Figura 4.8. Para quitar una unidad USB de forma segura.

- Buscamos el icono de la unidad en el Panel de navegación y ejecutamos **Expulsar** de su menú contextual.

Tras una breve espera Windows 8 nos indicará que es seguro quitar el dispositivo y, entonces, ya podemos extraerlo del puerto USB.

Sin embargo, como siempre andamos con prisas, a veces hacemos las cosas a la brava y sacamos la unidad del puerto USB sin más. Esta práctica no es nada recomendable, en serio, porque nos arriesgamos a perder los datos de la unidad.

Cuando por el motivo que sea (a veces se va la luz en el momento más inoportuno) nos resulte imposible acceder al contenido de la unidad USB, no perdemos nada con probar lo siguiente:

1. Ejecutamos la aplicación Símbolo del sistema, que nos retrotrae al entorno del antiguo MS-DOS. Como puedes suponer, con el acceso **Buscar** la encontrarás en la lista de aplicaciones.

2. En la ventana del Símbolo del sistema escribimos la siguiente orden (X: representa la unidad donde está insertado el disco USB, que en tu equipo será E: o G: o F:, etc.).

   CHKDSK X: /F

3. Pulsamos **Intro** y esperamos un rato, a ver si Windows 8 puede lograr algo.

¿Y si todavía continuamos sin acceder a la unidad? Siempre podemos formatearla y dejarla como nueva, perdiendo todo lo que contuviera, claro está. De hecho, aunque hayamos recuperado toda su información o parte de ella, resulta aconsejable copiarla en una carpeta del disco duro (en el escritorio, por ejemplo) y, luego, formatear el disco extraíble para mayor seguridad; cuando finalice el proceso, podemos volver a copiar en la unidad su anterior contenido.

Para formatear un disco extraíble buscamos su icono en `Equipo` y ejecutamos **Formatear** de su menú contextual, que abre el cuadro de diálogo de la figura 4.9 para que establezcamos las características del formateo.

Figura 4.9. Formatear un disco extraible.

- El sistema de archivos FAT (*File Allocation Table*, Tabla de Asignación de Archivos) fue desarrollado por Microsoft para MS-DOS, apareciendo en 1996 su versión más avanzada, FAT32, restringida a discos de 32 GB como máximo. Debido a sus limitaciones, se diseñó un nuevo sistema de archivos, NTFS (*New Technology File System*), que es más eficaz, fiable y puede manejar hasta 16 TB.

- Cuando escribimos una etiqueta del volumen, ese texto nos servirá de referencia para identificar la unidad.

- El formato rápido, que sólo podemos activar cuando la unidad tiene un formato previo, lo único que hace es crear una tabla de archivos nueva. En cambio, el formato no rápido sí elimina los archivos de la unidad, por lo que es más aconsejable cuando deseamos seguridad, si bien resulta bastante más lento.

Formatear es una de esas palabras que utiliza casi todo el mundo sin tener mucha idea de su significado. Así que vamos a ponerle remedio a ese déficit de conocimientos.

Imagina que tenemos un magnífico solar que pensamos destinar a aparcamiento de coches. Si dejamos que aparquen de cualquier manera, es seguro que se montará un lío de miedo: habrá coches que no podrán salir, será difícil localizar uno en concreto, etc. ¿Qué hacer? Pues lo mismo que hemos visto en múltiples aparcamientos: colocar algún tipo de marcas para delimitar las diversas plazas y dejar un camino libre para la salida y entrada de los vehículos.

Algo similar sucede en cualquier medio de almacenamiento informático. Para que el ordenador pueda guardar eficientemente la información y localizarla con rapidez, es preciso que introduzca sus propias marcas... y esta operación es precisamente la que se realiza durante el formateo.

LA GRABACIÓN DE DATOS EN DISCOS

Aunque las unidades USB y la nube (SkyDrive, por ejemplo) están dejando obsoletos los soportes en disco (CD y DVD), en ocasiones podemos necesitar grabar datos en ellos, así que vamos a ver cómo realizar esta operación con Windows 8.

¿Y hay alguna diferencia entre grabar archivos en CD o en DVD? Ninguna, el proceso será idéntico en ambos casos, con la evidente diferencia de capacidad del soporte. Por tanto, seguidamente hablaremos de discos, en general, sin particularizar.

Al introducir un disco virgen en la grabadora, se despliega una ventana informativa en la parte superior derecha, sobre la que debemos hacer clic para acceder a las opciones del disco. Ahora, al quedarnos con **Grabar archivos en disco**, nos aparecerá la ventana de la figura 4.10.

En la figura 4.10 observamos las dos modalidades de grabación de discos que nos oferta Windows 8: **Como una unidad flash USB** (Sistema de archivos LFS) y **Con un reproductor de CD o DVD** (Mastered).

Figura 4.10. Grabar un disco.

*Si no hacemos nada, la ventana con las opciones del disco se oculta. Si queremos mostrarla de nuevo, basta con desplegar el menú contextual de la grabadora en el Panel de navegación y, luego, ejecutar **Abrir Reproducción automática**.*

¿Y cuál es preferible? Pues depende de qué tipo de grabación vayamos a realizar, porque no es lo mismo guardar archivos como medida de precaución que hacerlo con idea de llevarlos a otros dispositivos, especialmente si no son muy modernos, por decirlo de una forma elegante.

Para tener claro cuál nos puede interesar en un determinado momento, veamos brevemente las ventajas e inconvenientes de cada modalidad.

Comencemos por **Como una unidad flash USB** que, como su nombre indica, nos permitirá gestionar el disco igual que si tratase de una unidad flash USB:

- Los archivos se copian en el disco al momento, como si estuviésemos trabajando con una unidad extraíble.

- Si lo deseamos, podemos borrar algunos de los archivos grabados en el disco.

- Los discos no se leerán en equipos cuya versión de Windows sea anterior a XP.

En cuanto a las grabaciones efectuadas según **Con un reproductor de CD o DVD**, sus características son las siguientes:

- Los archivos se van copiando en el disco duro, a la espera de que tenga lugar la grabación de todos ellos a la vez.

- Sólo con discos regrabables tenemos la posibilidad de eliminar todos los archivos del disco. En ningún caso podemos suprimir sólo unos pocos.

- Se pueden utilizar con cualquier versión de Windows y, en función de su contenido, también con reproductores de DVD o CD de sobremesa.

NOTA

El sistema **Como una unidad flash USB** *es el más adecuado para salvaguardar archivos del ordenador personal o profesional, ya que al gestionar el disco como si fuese una unidad extraíble su empleo resulta rápido y cómodo.*

En cambio, el sistema **Con un reproductor de CD o DVD** *resulta preferible para grabar amplias colecciones multimedia (fotografías, audio, vídeo) que vayamos a disfrutar en reproductores DVD de sobremesa… o para llevar archivos a equipos que no están a la última.*

Seguidamente vamos a ver cómo grabar datos en discos según ambas modalidades y empezamos con **Como una unidad flash USB**, que para eso es la predeterminada. Por ejemplo, podemos utilizar para las pruebas algunos de nuestros documentos WordPad o varias fotografías. Sí, claro que no dan para llenar un disco, ni mucho menos, pero sólo perderemos una ínfima parte del espacio, porque podremos seguir añadiendo más cosas en el futuro.

En este sistema de grabación, antes de poder utilizar un disco virgen, es necesario que Windows 8 lo formatee.

1. Introducimos el disco virgen en la grabadora.

2. Seleccionamos **Grabar archivos en disco** y se abre el cuadro de diálogo de la figura 4.10.

3. Cambiamos el título del disco si lo deseamos (por defecto aparece la fecha actual). Debajo aparece activada la opción **Como una unidad flash USB**; la dejamos así y hacemos clic en Siguiente.

4. Seguidamente se procede al formateo del disco, como ocurre en la figura 4.11. Poco después, Windows 8 nos comunicará que ya disponemos de una nueva unidad extraíble y podremos abrir la carpeta correspondiente al nuevo disco.

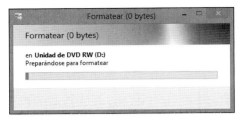

Figura 4.11. Formatear un disco.

A partir de ese momento, nuestro disco lo gestionaremos de la misma forma que si fuera una memoria USB; es decir, para grabar archivos en el disco sólo tenemos que arrastrarlos hasta su carpeta o, en **Enviar a** del menú contextual de los elementos, ejecutar **Unidad de DVD RW**. Inmediatamente comienza su copia en el disco.

Podemos repetir el proceso anterior con cualquier otro archivo, con el único límite de la capacidad del disco. Además, en cualquier momento podemos borrar cualquiera de los archivos grabados sin más que seleccionarlo y pulsar Supr o ejecutar **Eliminar** de su menú contextual; eso sí, el espacio que ocupaba el archivo borrado no se libera (lo perdemos sin remisión, en otras palabras).

- Cuando pulsemos el botón de la grabadora para extraer el disco, surgirá un globo informativo en la parte inferior derecha del escritorio para indicarnos que Windows 8 está cerrando la sesión; segundos después desaparece y el disco es expulsado.

- También podemos decirle a Windows 8 que saque el disco de la grabadora con **Expulsar**, presente tanto en el menú contextual de la unidad de disco en el Panel de navegación como en la ficha **Administrar** de su cinta.

La grabación de archivos según el sistema **Con un reproductor de CD o DVD** no necesita formatear el disco y, cuando seleccionamos esta opción en el cuadro de diálogo de la figura 4.10, al hacer clic en Siguiente inmediatamente se abre la ventana de la figura 4.12, correspondiente al nuevo disco.

Figura 4.12. Otra modalidad de grabación.

1. Arrastramos hasta la carpeta de la figura 4.12 los archivos que vamos grabar en disco o ejecutamos **Unidad de DVD RW** de **Enviar a**, en su menú contextual.

2. En la parte inferior de la pantalla, Windows 8 nos muestra un globo informativo indicándonos que hay algo para grabar. Tranquilidad, no pasa nada. Si lo deseamos, podemos seguir añadiendo más elementos a la lista, para ser copiados en el disco.

3. Cuando hayamos terminado de seleccionar todos los archivos que deseamos grabar en el disco, en el Panel de navegación activamos el icono de la grabadora.

4. Se abre la carpeta del disco, análoga a la mostrada en la figura 4.13, donde vemos los elementos que vamos a grabar, una copia de los cuales se almacena en una zona temporal del disco duro. En caso de que nos hayamos equivocado con algún archivo, todavía estamos a tiempo de corregirlo; simplemente lo seleccionamos y pulsamos Supr para eliminarlo de la lista (con **Eliminar archivos temporales** del menú contextual de la unidad grabadora borramos todos ellos).

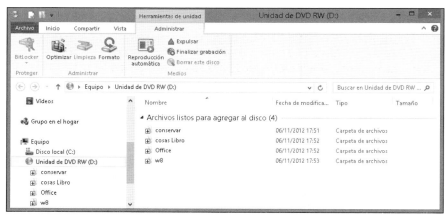

Figura 4.13. Elementos listos para ser grabados.

5. Cuando todo esté dispuesto, hacemos clic en **Grabar en disco**, presente en el menú contextual del disco y en la ficha **Compartir** de la cinta.

6. Se pone en marcha un asistente que nos ofrece la posibilidad de cambiar el título del disco y, lo que es mucho más importante, elegir la velocidad de grabación. Siempre es aconsejable adoptar una velocidad no muy alta, para facilitar su posterior lectura en otros equipos.

7. Al hacer clic en **Siguiente** comienza a crearse la imagen del disco y, a continuación, se procede a la grabación de los datos. Tardará más o menos en función de la velocidad de grabación elegida y del tamaño de los elementos seleccionados.

8. Cuando la grabación haya concluido, el asistente abre la unidad para que recojamos el disco recién grabado y nos ofrece la posibilidad de volver a grabar esos datos en otro disco. Si hacemos clic en **Finalizar**, Windows 8 elimina la copia temporal de los archivos... y asunto concluido.

Aunque esta forma de grabar no es tan cómoda como la primera, lo cierto es que también resulta bastante sencilla, ¿no crees?

Mientras quede espacio libre en el disco, podemos continuar añadiendo archivos en sesiones posteriores. En este caso, conforme seleccionamos nuevos elementos para su grabación, en la parte superior de la ventana del disco se muestra el contenido actual y, debajo, el que vamos a añadir.

LA GRABACIÓN DE ARCHIVOS ISO

En informática se denomina imagen de un disco a un único archivo, generalmente de extensión iso, que contiene una copia completa del disco. Si disponemos de ese archivo imagen, cuyo icono vemos en la figura 4.14, podremos grabar cuantas copias del disco deseemos más adelante.

Win.8.Pro.x86

Figura 4.14. Icono de un archivo ISO.

El sistema de archivos ISO (del griego iso, igual) es un formato de almacenaje de archivos estandarizado por la ISO (International Organization for Standardization) en 1986.

Por ejemplo, muchas empresas ofertan en Internet la descarga de sus productos en archivos ISO, a partir de los cuales debemos crear una copia del disco correspondiente para proceder a la instalación del software. De hecho, Microsoft utiliza este sistema como una forma más de distribuir Windows 8.

También en muchos equipos nuevos se está dejando de incluir el clásico disco de recuperación y se está sustituyendo por un archivo ISO; una política comercial que resulta más económica para el fabricante, ya que debemos generar el disco por nuestra cuenta y eso que se ahorran.

Y una vez que tenemos en nuestro poder el archivo ISO, ¿qué debemos hacer para obtener una copia del disco que contiene? Simplemente activar su icono y se pondrá en marcha el Explorador de archivos, mostrándonos su contenido como si se tratase de una unidad extraíble, al igual que vemos en la figura 4.15.

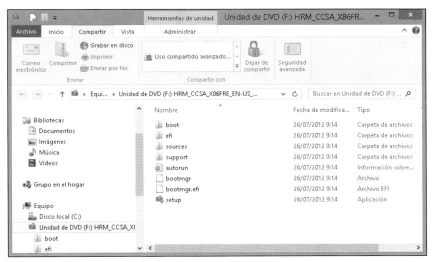

Figura 4.15. Imagen de disco abierta.

- Si hacemos clic en Grabar en disco de la ficha **Compartir** de su cinta, se nos pedirá que introduzcamos un disco en la grabadora y Windows 8 procederá a su grabación, de acuerdo con la modalidad que elijamos en el cuadro de diálogo **Grabar un disco**. ¡Más sencillo imposible!

- Si el archivo ISO contiene distintos elementos y sólo algunos nos interesan, no necesitamos grabar el disco y, luego, copiarlos de él. Como Windows 8 nos presenta el contenido del archivo ISO en una carpeta, podemos arrastrar fuera de ella únicamente los elementos que deseemos.

- Cuando hayamos terminado con el archivo ISO, es conveniente cerrarlo y, de este modo, dejará de aparecer su unidad virtual en el Panel de navegación. Al gestionarlo Windows 8 como un disco, tendremos que hacerlo con **Expulsar**, disponible en el menú contextual de la unidad de disco y en la ficha **Administrar** de su cinta.

Cuentas de usuario y protección infantil

Es habitual que varias personas compartan un mismo ordenador, ya sea en la oficina o en su hogar. Si Windows 8 no permitiese crear cuentas de usuarios, todas las personas que empleasen el mismo equipo entrarían en el mismo escritorio, podrían ver los documentos de las otras personas, acceder a su lista de favoritos en Internet, etc.

Afortunadamente, en Windows 8 podemos establecer cuentas de usuarios diferentes y, gracias a ellas, se evitan los inconvenientes anteriores, de modo que cada cual tiene su espacio reservado.

Antes de pasar a las cuestiones técnicas, debe quedar clara la diferencia entre los dos tipos de cuenta que admite Windows 8: Administrador y Estándar. El primer tipo nos permite hacer de todo: instalar programas y hardware, realizar modificaciones, controlar las cuentas de otros usuarios, etc. En cambio, quien dispone de una cuenta Estándar sólo puede cambiar aquello que no afecte a otras cuentas o a la seguridad del equipo.

Por tanto, lo más aconsejable es que nuestra cuenta sea de tipo Administrador (se genera automáticamente al instalar Windows 8) y las que creemos para otras personas lo sean de tipo Estándar. ¿De acuerdo?

Una vez esclarecido este asunto, sólo comentar que todo lo relativo a cuentas de usuario lo vamos a gestionar ahora desde el Panel de control. Como siempre, podemos acudir al acceso **Buscar** y localizar la herramienta de configuración para manejar las cuentas de usuarios, pero no viene mal repasar cómo hacerlo manualmente:

1. Vamos al acceso **Configuración** o pulsamos Windows-I; en su parte superior, activamos **Panel de control**

2. Entramos en la categoría **Cuentas de usuario y protección infantil** y, después, en **Cuentas de usuario**. Tendremos una ventana similar a la mostrada en la figura 4.16.

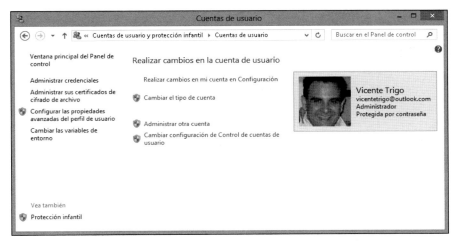

Figura 4.16. Realizar cambios en la cuenta de usuario.

Si observamos con atención la figura 4.16, comprobaremos que la primera acción no tiene a su izquierda un icono que sí aparece en las inferiores. Es la forma que tiene Windows 8 de indicarnos que están sujetas al Control de cuentas de usuario.

¿Y qué es eso? Es una herramienta para prevenir cambios no autorizados en el equipo y, de este modo, evitar acciones que podrían ser sumamente perjudiciales. Cuando vamos a hacer alguna modificación importante, Windows 8 se limita, ya que nuestra cuenta es de tipo Administrador, a pedirnos confirmación en contadas ocasiones, mediante un cuadro de diálogo.

En cambio, cuando se trata de una cuenta Estándar, el Control de cuentas de usuario exige que alguien con privilegios de Administrador valide, introduciendo su contraseña, la acción que se pretende realizar.

El tercer enlace de la figura 4.16 es el que nos permite administrar otras cuentas de usuario, que es lo que nos interesa ahora, pero antes de ir con ello no cuesta nada explicar brevemente las otras ofertas de esa ventana:

- **Realiza cambios en mi cuenta en Configuración** nos lleva a la pantalla Configuración y, como vimos en el primer capítulo, ahí podemos cambiar nuestra contraseña, imagen, etc.

- **Cambiar tipo de cuenta** ahora todavía no nos sirve de nada, pues nuestra cuenta es de tipo Administrador y no podemos cambiarla a Estándar, porque siempre debe haber al menos una de Administrador en el equipo. Su utilidad es patente cuando se han creado más cuentas y queremos cambiar el tipo de una de ellas.

- **Cambiar configuración de Control de cuentas de usuario** nos ofrece la posibilidad de desactivar el Control de cuentas de usuario, que está activo por defecto. No es recomendable hacerlo, aunque nadie más toque nuestro equipo, para evitar descuidos tontos.

Para crear otras cuentas de usuario, eliminarlas, cambiarlas, etc., en la ventana de la figura 4.16 debemos activar el enlace **Administrar otra cuenta**, que nos muestra las dos cuentas de usuario integradas, Administrador e Invitado, junto con el enlace **Agregar un nuevo usuario en Configuración**.

Seguidamente, vamos a ver los pasos que debemos seguir para crear una nueva cuenta de usuario. ¿No necesitas ninguna más? Da igual. Créala de todos modos para practicar. Siempre puedes eliminarla después.

1. En la ventana de la figura 4.16, activamos el enlace **Agregar un nuevo usuario en Configuración**.

2. En la pantalla Configuración, vamos a su sección inferior **Otros usuarios** y hacemos clic en **Agregar un usuario**.

3. En la figura 4.17, escribimos la dirección de la cuenta Microsoft de la otra persona y hacemos clic en Siguiente. Luego, con Finalizar concluye el proceso.

Figura 4.17. Para crear una nueva cuenta de usuario.

Al instalar Windows 8 se crean automáticamente las cuentas Administrador e Invitado. La primera es la nuestra y no se puede eliminar, con objeto de evitar problemas.

La cuenta Invitado está destinada a otras personas que no tienen cuenta en el equipo. Por ejemplo, si alguien nos pide el equipo un momento, para mirar su correo electrónico o visitar una página web, lo más adecuado es que utilice la cuenta Invitado, en lugar de permitirle el acceso a la nuestra, tanto por cuestiones de seguridad como para preservar nuestra intimidad.

En principio, la cuenta Invitado está desactivada. Si consideramos que alguien más va a utilizar nuestro equipo ocasionalmente, podemos activarla sin más que hacer clic sobre ella y, en la siguiente ventana, en Activar.

> *Cuando creamos una nueva cuenta, antes de finalizar se nos oferta una casilla para indicar que se trata de una cuenta infantil. Si la activamos, en esa cuenta ya tendremos operativa Protección infantil (será el tema del siguiente apartado).*

¿Y si sólo deseamos crear una cuenta local? Entonces, en la pantalla de la figura 4.17 activamos el enlace Iniciar sesión sin una cuenta Microsoft. Después, hacemos clic en Cuenta local e introducimos el nombre de usuario y, opcionalmente, la contraseña que tendrá la cuenta y su indicio de contraseña. Por último, con Siguiente y Finalizar termina todo.

> *El indicio de contraseña es un texto que nos ayudará a recordar la contraseña si tenemos mala memoria. Como es posible visualizar ese texto en la petición de contraseña, no se te ocurra poner "nombre de mi perro", "mi mejor amiga", ni nada por el estilo.*

Volvamos de nuevo a la ventana de la figura 4.16 para ver qué opciones nos ofrece Windows 8 para gestionar las cuentas de usuario existentes en el equipo. Al activar el enlace **Administrar otra cuenta**, se nos muestran todas ellas, como sucede en la figura 4.18.

Ahora, si hacemos clic en una cuenta, pasamos a otra ventana donde podemos cambiar su nombre y asignarle una contraseña (sólo cuando se trata de una cuenta local), cambiar su tipo (mejor lo seguimos dejando Estándar), configurar Protección infantil (lo vemos enseguida) e, incluso, eliminar la cuenta.

¿Y qué sucede cuando se borra una cuenta? Que desaparece, claro está, aunque Windows 8 nos deja conservar algunos de sus archivos (los almacenados en su escritorio y sus carpetas personales) en una carpeta de nuestro escritorio, que tendrá el mismo nombre que la cuenta que vamos a borrar; sin embargo, no se conservan las demás cosas de la cuenta, así que no borres una cuenta a la ligera... no se puede recuperar.

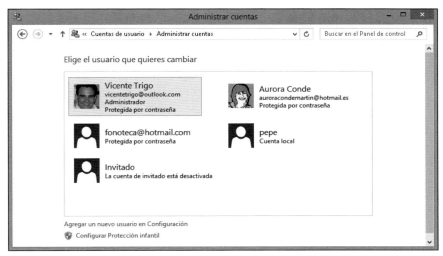

Figura 4.18. Diversas cuentas de usuario.

Y ya sólo nos queda por ver cómo gestionar las sesiones en las cuentas. Windows 8 nos ofrece tres alternativas:

- **Cerrar sesión** cierra nuestra sesión actual. Si tenemos algún programa abierto, Windows 8 nos recuerda que es aconsejable cerrarlo.

- **Cambiar de usuario** abre la pantalla de entrada a Windows 8, con las diferentes cuentas existentes en el equipo (la nuestra sigue abierta, si no la hemos cerrado). Desde ahí cada persona va a su respectiva cuenta, introduciendo su contraseña en caso de que la tuviera.

- **Bloquear** es equivalente a la anterior con la salvedad de que aparece sólo nuestra cuenta para que introduzcamos la contraseña.

¿Y cómo efectuamos cualquiera de estas tres últimas acciones? Pues ya lo vimos en el primer capítulo, pero nunca está de más un breve recordatorio, ¿verdad?

Si estamos en la pantalla Inicio, sólo tenemos que hacer clic en nuestra imagen y se nos ofertan las tres opciones anteriores. ¿Y si estamos en el escritorio? Cerramos todas las aplicaciones abiertas en él y, con Alt-F4, abrimos una ventana donde podemos seleccionar qué nos interesa hacer: apagar, reiniciar, cambiar de usuario o cerrar sesión.

> *¿Qué sucede si decidimos apagar el equipo y hay otras sesiones abiertas? Pues que existe la posibilidad de que las otras personas pierdan parte de su información; por ese motivo, Windows 8 nos lo recuerda con un aviso… Lo que hagamos después es cosa nuestra.*

PROTECCIÓN INFANTIL

Protección infantil es una herramienta muy útil en hogares donde hay peques porque, gracias a ella, puede controlarse cuánto tiempo están ante el ordenador, con qué juegos se divierten o qué programas utilizan. Eso sí, no debemos olvidar que sólo es posible aplicar Protección infantil a una cuenta Estándar.

¿Nos interesa el tema? Entonces debemos activar Protección infantil, si no lo hicimos al crear la cuenta, y, luego, fijar su configuración a nuestro gusto.

1. Vamos a la ventana de la figura 4.18 y hacemos clic en su enlace inferior **Configurar Protección infantil**.

2. Elegimos la cuenta en la que aplicaremos Protección infantil.

3. En la ventana de la figura 4.19, deben estar activadas **Protección infantil** e **Informe de actividades**.

De este modo estarán operativas las opciones inferiores de la figura 4.19. Sólo nos resta configurarlas:

- **Filtrado web** para indicar qué sitios web permitimos visitar, además de poder anular la descarga de archivos.

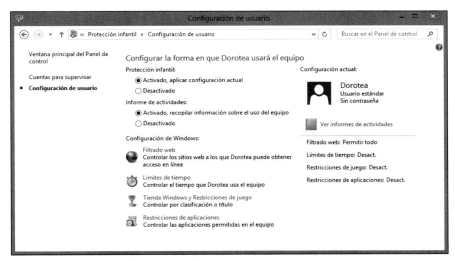

Figura 4.19. Protección infantil activada.

- **Límites de tiempo** para determinar cuándo es posible usar el equipo desde esa cuenta.

- **Tienda Windows y Restricciones de juegos** para dejar jugar en esa cuenta a cualquier juego o, en caso contrario, bloquearlo o permitirlo en función de su tipo de contenido.

- **Restricciones de aplicaciones** para fijar cuáles de los programas instalados en el equipo tiene permiso para usar.

Mediante **Ver informes de actividades,** *en la figura 4.19, accedemos a un completo informe sobre los sitios más visitados, el tiempo de uso, etc.*

Acceso público y compartir

Imaginemos que otra persona utiliza nuestro equipo y queremos pasarle unas fotografías, documentos, canciones, etc. Siempre podríamos grabar los archivos en un disco o una unidad extraíble; sin embargo, ¿por qué no utilizar el propio equipo, que resulta más cómodo?

¿Y tenemos que darle nuestra contraseña? ¡Claro que no!

Resulta que Windows 8, para facilitar el intercambio de información entre personas que manejan un mismo equipo, incluye la carpeta `Acceso público` que, como vemos en la figura 4.20, tiene una estructura similar a la de las carpetas personales. Eso sí, debemos tener muy en cuenta que la carpeta `Acceso público` está a disposición de todas las personas que tienen cuenta de usuario en el equipo y no permite pasar algo sólo a una persona, excluyendo a las demás.

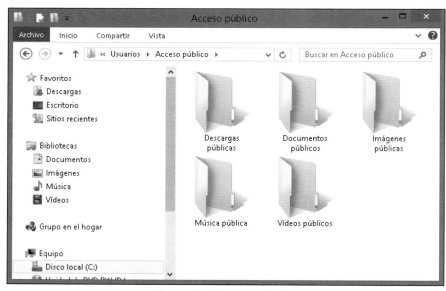

Figura 4.20. Acceso público.

Cuando deseemos compartir cualquiera de nuestros archivos o carpetas con las demás personas que tienen cuenta en nuestro equipo, sólo tenemos que copiar esos elementos en la subcarpeta de `Acceso público` que consideremos más apropiada.

Es decir, basta con abrir la ventana de la figura 4.20 y arrastrar hasta allí lo que pretendamos hacer público. Eso sí, debemos tener la precaución de mantener pulsada la tecla Control mientras arrastramos, ya que si no lo hacemos movemos los elementos, en lugar de copiarlos.

Después de realizar esta operación, cualquier persona que abra las carpetas públicas tendrá a su disposición todo su contenido. ¡Mucho ojo con lo que ponemos en ellas!

¿Y cómo abrimos la carpeta Acceso público? El método más rápido quizás sea el siguiente:

1. Abrimos `Equipo`, que está presente en el Panel de navegación de cualquier carpeta.

2. Entramos en la unidad de disco duro.

3. Hacemos clic en `Usuarios` y ahí encontramos la carpeta `Acceso público`.

Lo del acceso público está muy bien, pero, ¿no habría forma de compartir archivos o carpetas sólo con algunas de las personas que tienen cuenta en el equipo? ¡Desde luego que sí! Windows 8 está en todo.

Para ilustrar el procedimiento a seguir, vamos a suponer que deseamos compartir un determinado elemento con una o varias personas que tienen cuenta en el equipo, pero no con todas.

1. Desplegamos el menú contextual del archivo o carpeta y, en **Compartir con**, ejecutamos **Usuarios específicos**.

2. En el cuadro de diálogo que se abre, desplegamos la lista de usuarios del equipo, al igual que vemos en la figura 4.21, y elegimos quien nos interesa.

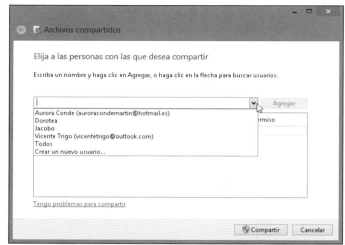

Elija a las personas con las que desea compartir

Escriba un nombre y haga clic en Agregar, o haga clic en la flecha para buscar usuarios.

Aurora Conde (auroracondemartin@hotmail.es)
Dorotea
Jacobo
Vicente Trigo (vicentetrigo@outlook.com)
Todos
Crear un nuevo usuario...

Tengo problemas para compartir

Figura 4.21. Para compartir un archivo.

3. Hacemos clic en **Agregar**.

4. El nombre del usuario seleccionado aparece en la lista inferior y, en principio, sólo podrá ver el archivo, porque su nivel de permiso es Lectura. Haciendo clic en él, podemos darle permiso de Lectura y escritura… o quitarlo de la lista.

5. Repetimos los tres pasos anteriores si queremos añadir nuevas personas.

6. Hacemos clic en **Compartir**.

7. Tras una breve espera, se nos indica que el archivo ya está compartido y se nos ofrece la posibilidad de enviar por correo electrónico la ruta del archivo a los usuarios con quienes vamos a compartirlo. Utilicemos ese método o cualquier otro (llamada de teléfono, SMS, etc.), de alguna manera tienen que saber dónde se encuentra nuestro archivo, ¿no crees?

8. Hacemos clic en **Listo**… y listo.

Ya tenemos el archivo compartido. Ahora bien, ¿qué debe hacer una de las personas con permiso para acceder a él desde su propia cuenta?

1. Abrir `Equipo` y, en la unidad de disco local, ir a `Usuarios`.

2. Entrar en la carpeta correspondiente a nuestra cuenta.

3. Desplazarse hasta la carpeta donde se encuentra nuestro archivo (por algo le hemos comunicado su ruta con anterioridad) y podrá leerlo o modificarlo, según el permiso que hayamos establecido.

La persona con quien compartimos nuestro archivo únicamente tiene acceso a él. Los demás archivos de nuestro equipo están fuera de su alcance... salvo que los compartamos.

Cuando deseemos variar nuestra configuración de compartir, sólo tenemos que desplegar el menú contextual del elemento e ir a **Compartir con**. Si optamos por **Dejar de compartir**, no lo compartimos con nadie; con **Usuarios específicos** podremos modificar los permisos o cesar de compartirlo con algunas personas de la lista, o bien añadir nuevas.

Las imágenes,
el audio y el vídeo

En este capítulo nos centraremos en las amplias posibilidades que nos ofrecen las aplicaciones de escritorio de Windows 8 en el ámbito multimedia: imágenes, audio y vídeo.

Como ya vimos en el primer capítulo, por defecto Windows 8 abre las fotografías, las canciones y los archivos de vídeo con las aplicaciones Fotos, Música y Vídeo de la pantalla Inicio. Teniendo en cuenta que ahora no vamos a movernos del escritorio, por comodidad sería buena idea que, al menos de momento, las aplicaciones predeterminadas fuesen otras, ¿no crees?

En principio, las aplicaciones de escritorio más adecuadas para ver imágenes y reproducir audio o vídeo son, respectivamente, el Visualizador de fotos de Windows y el Reproductor de Windows Media, así que vamos a establecerlas como predeterminadas. Una posible forma, como ya sabemos, es hacer lo siguiente:

1. Buscamos una de nuestras fotografías, una canción o un vídeo, según sea el caso.

2. Desplegamos su menú contextual y, en **Abrir con**, ejecutamos **Elegir programa predeterminado**.

3. Se abre una ventana similar a la presentada en la figura 5.1, mostrándonos las aplicaciones instaladas que pueden abrir el archivo.

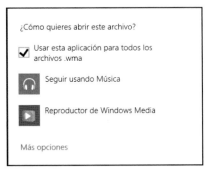

Figura 5.1. Elegir programa predeterminado.

4. Elegimos la aplicación de escritorio que le corresponda… una de las dos anteriores, claro está.

5. Inmediatamente se activará la aplicación y nos mostrará la fotografía o reproducirá el archivo. Como estas cuestiones las trataremos más adelante, cerramos la ventana de la aplicación y asunto concluido.

Sin embargo, existen muchos tipos de archivos multimedia, como veremos en este capítulo. Si al activar uno de ellos todavía se abre con una aplicación de la pantalla Inicio, repetimos el procedimiento anterior para que se abra en el escritorio. ¿De acuerdo?

¿Y si al acabar el capítulo prefieres seguir utilizando las aplicaciones de la pantalla Inicio para gestionar tus archivos multimedia? Pues lo más cómodo será ponerlas de nuevo como predeterminadas, siguiendo los mismos pasos que acabamos de ver.

LOS DIFERENTES TIPOS DE IMÁGENES DIGITALES

Antes de pasar a disfrutar del universo multimedia en nuestro escritorio, es muy aconsejable conocer las diferencias que existen entre los diversos tipos de archivos que podemos manejar en Windows 8, para evitarnos futuros problemas.

Lo primero que debemos saber es que existen centenares de tipos gráficos y de audio y vídeo, al igual que sucede con los lenguajes humanos, donde un mismo objeto se puede denominar con palabras distintas en diferentes lenguajes. Algo análogo sucede con los objetos multimedia y una imagen, audio o vídeo puede almacenarse en distintos tipos.

Por suerte, basta con saber manejarse en unos pocos idiomas para hacerse entender en cualquier parte del mundo y lo mismo ocurre con los tipos multimedia. Hay unos pocos que reconocen prácticamente todas las aplicaciones y a conocerlos dedicaremos un poquito de tiempo a lo largo del capítulo. En concreto, ahora nos centraremos en los tipos de las imágenes digitales.

Hasta que se popularizaron las cámaras fotográficas digitales, el tipo bmp (*BitMaP*, mapa de bits) era el más popular de todos ellos, ya que se trataba del predefinido en las primeras versiones de Windows. La principal ventaja de los archivos bmp es que resultan muy cómodos de leer para el ordenador, porque almacenan todos y cada uno de los puntos que conforman las imágenes. Claro que, por ese mismo motivo, los archivos bmp son poco apropiados para Internet o para las cámaras fotográficas.

¿Por qué? Supongamos que la imagen de la figura 5.2 se hubiese guardado en bmp. Sus dimensiones son 3264 x 2448 y tengamos en cuenta que el tipo bmp sólo admite, como máximo, color a 24 bits (las cámaras fotográficas superan esta limitación ya que trabajan con 32 bits, 48 bits, etc.); por tanto, el tamaño del archivo resultante habría sido bastante grande, nada menos que unos 22,8 MB (3264 x 2448 x 24 bits).

Figura 5.2. Fotografía de un cuadro.

Como los archivos bmp ocupan demasiado espacio, desde su aparición comenzaron a buscarse métodos que redujeran el tamaño del archivo gráfico resultante. ¿Y cómo lo hacen? Pues aplicando complicados algoritmos matemáticos. ¿Verdad que no te interesan lo más mínimo? Así que vayamos con los tipos más populares:

- gif (*Graphics Interchange Format*, formato de intercambio gráfico) fue de los primeros en surgir, en la década de los 80. Compuserve necesitaba un método que le permitiera transmitir imágenes con un mínimo de calidad (256 colores solamente, ya que el hardware de la época tampoco daba para más) y así surgió el tipo gif, desarrollado por Unisys. Si bien permite sencillas animaciones (los gif animados que vemos por Internet), su limitación a 256 colores lo hace inapropiado para fotografías.

- jpeg (*Joint Photographic Experts Group*, grupo de expertos fotográficos unidos) surgió poco después y es el más difundido, ya que admite una calidad fotográfica con millones y millones de colores. Habitualmente admite la pérdida de calidad, para disminuir todavía más el tamaño del archivo.

- png (*Portable Network Graphics*, gráficos portables por red) nació en 1994, cuando Unisys decidió cobrar royalties a las empresas cuyo software generara archivos gif. Es gratuito, admite millones de colores, comprime sin pérdida y soporta transparencia.

Y volviendo a lo que nos interesa, ¿realmente se consigue reducir el tamaño de los archivos gráficos con los formatos jpeg y png? Lo cierto es que sí, aunque todo depende de cómo sean las imágenes.

Por ejemplo, para hacernos una idea, volvamos a la fotografía de la figura 5.2. Fue tomada con una cámara digital en jpeg y el tamaño de su archivo no llega a los 3 MB; en cambio, como ya hemos visto, en bmp subiría a más de 22 MB. ¿Y cuánto ocuparía en png? Pues unos 10 MB.

En resumen, el tipo png tiene a su favor, entre otras cosas, que es gratuito y conserva la calidad de imagen; sin embargo, comprime menos las imágenes que el tipo jpeg, que sí pierde algo de calidad. Además, éste último también tiene a su favor su amplísima difusión.

El Visualizador de fotos de Windows

Si ya hemos establecido el Visualizador de fotos de Windows como aplicación predeterminada para mostrar el contenido de un archivo gráfico, sólo tenemos que hacer clic (o doble clic, según la configuración de carpetas) sobre cualquier fotografía y Windows 8 la visualizará inmediatamente, a un tamaño que se ajusta a la ventana.

Como apreciamos en la figura 5.3, en la parte superior del Visualizador de fotos de Windows hay una barra de herramientas para permitirnos realizar diversas acciones y, en la parte inferior, unos controles para gestionar la visión de las imágenes.

NOTA

El Visualizador de fotos de Windows únicamente muestra imágenes gif si en la carpeta las hay de otros tipos gráficos y las estamos viendo una tras otra. Por defecto, los archivos gif se abren con la aplicación Fotos, aunque se ven mejor con Internet Explorer cuando incluyen animación.

Comencemos con las opciones disponibles en la barra de herramientas superior (Imprimir la dejamos para el siguiente apartado):

- Archivo despliega comandos para borrar la imagen, copiarla en otro archivo o en memoria y cerrar el visualizador.

- Correo electrónico nos brinda la posibilidad de adjuntar la imagen a un mensaje de correo (debemos tener un programa de correo). Al hacer clic en él, se abre un cuadro de diálogo donde podemos seleccionar el tamaño de la imagen a enviar.

Figura 5.3. Fotografía de un cuadro.

- **Grabar** ofrece la opción de guardar la imagen en un disco de datos.

- **Abrir** nos permite editar la imagen en cualquiera de los programas gráficos que tengamos instalados en el equipo.

Más interesantes nos resultan los botones de la parte inferior, ya que con ellos controlamos la visión de las imágenes. Como siempre, si queremos averiguar el nombre de un botón, sólo tenemos que situar el puntero del ratón sobre él.

- Para ir de una imagen a la siguiente o a la anterior que haya en la carpeta, disponemos de los botones **Siguiente** y **Anterior** en los controles inferiores. También podemos utilizar las flechas izquierda y derecha del cursor.

- Con los botones Girar hacia la derecha y Girar hacia la izquierda giramos la imagen 90° en el sentido de las agujas del reloj o en el contrario. Eso sí, cuando giramos una imagen, la resultante del giro sustituye a la original.

- Si la imagen cabe completa en la ventana se ve a su tamaño original; en otro caso, automáticamente se ajusta la escala de visión para que se vea completa. Para verla a su tamaño real (si bien sólo cabrá una parte en pantalla) haremos clic en Tamaño real; con Ajustar a la ventana, que sustituye al anterior botón, se reduce su tamaño de visión para mostrarla completa.

- Modificamos la escala de visión con el botón Cambia el tamaño de presentación, que muestra una lengüeta deslizable para establecer dicha escala; además, con las teclas + y - aumentamos o disminuimos la escala de visión. Mediante Ajustar a la ventana o Control-0 volvemos a ver la imagen al completo.

- Cuando la imagen está ampliada, al colocar el puntero sobre ella cambia de aspecto y, entonces, tenemos la posibilidad de mover la imagen para visualizar otra parte de ella.

- Con el botón Eliminar o la tecla Supr podemos borrar la imagen que estamos viendo.

Y el botón Ver presentación, que destaca tanto en los controles inferiores, ¿para qué sirve? Pues para ver las imágenes una tras otra, sin tener que pulsar ninguna tecla. Esta modalidad de visionado, que se denomina presentación, podemos activarla de diversas formas:

- Si estamos viendo una imagen con el Visualizador de fotos de Windows, basta con hacer clic en el botón inferior Ver presentación o pulsar F11.

- En aquellas carpetas que contienen imágenes, encontramos el botón Presentación en la ficha **Administrar** de la cinta. Con él comenzamos a ver todas las imágenes de la carpeta o, si hemos seleccionado unas cuantas con anterioridad, sólo ésas.

Al iniciar una presentación, se ocultan todos los demás elementos de la ventana, incluso el puntero del ratón, con objeto de disponer de más espacio libre para mostrar las fotografías y que nada perturbe su visión, que tiene lugar a tamaño completo o ajustada a las dimensiones de la pantalla.

- Para ir más rápidamente de una imagen a la siguiente sólo tenemos que hacer clic con el ratón, aunque no esté visible en pantalla.

- Con las flechas izquierda y derecha del cursor pasamos a la imagen anterior o a la siguiente.

- Al pulsar **Intro** o la barra espaciadora, detenemos momentáneamente el pase automático de imágenes. Al volverla a pulsar, prosigue la presentación.

- Con la pulsación de casi cualquier tecla, abandonamos la presentación.

No obstante, podemos controlar a nuestro gusto la presentación sin más que hacer clic con el botón secundario del ratón. De esta forma se muestra el menú de la figura 5.4, con el que podemos variar la velocidad de las transiciones, optar por un orden no secuencial (orden aleatorio) y decidir si se repiten las fotografías cuando concluya el pase (bucle).

Una última cuestión sobre nuestra privacidad al hilo de las fotografías digitales.

Si tenemos una abierta con el Visualizador de fotos de Windows y, en **Archivo**, activamos **Propiedades**, abrimos un cuadro de diálogo, al que también podemos acceder ejecutando **Propiedades** en el menú contextual de la fotografía.

Vayamos a su ficha **Detalles**, presentada en la figura 5.5, que es la que nos interesa ahora. Al observarla descubrimos algunos datos sobre la fotografía: nombre del archivo, fecha en que fue tomada y sus dimensiones.

¿Y cómo sabe Windows 8 en qué momento se hizo la fotografía? Resulta que las cámaras (y tabletas y móviles) no sólo guardan la imagen fotografiada, sino también lo que se denomina metadatos: fecha, modelo de la cámara, tiempo de exposición, zoom, etc.; incluso la posición GPS donde se tomó, en los nuevos modelos.

Reproducir
Pausa
Siguiente
Atrás

Orden aleatorio
● Bucle

Velocidad de presentación: lenta
● Velocidad de presentación: media
Velocidad de presentación: rápida

Salir

Figura 5.4. Viendo una presentación.

Figura 5.5. Propiedades de una fotografía.

¡Qué cotillas son las cámaras! ¿Y no hay forma de quitar esa información, para proteger nuestra intimidad cuando le pasamos la fotografía a otra persona? Sí, desde luego.

1. En la ficha **Detalles** de la figura 5.5, activamos el enlace **Quitar propiedades e información personal**.

2. En el cuadro de diálogo que se abre, activamos **Quitar las siguientes propiedades de este archivo**.

3. Señalamos qué propiedades deseamos suprimir (todas ellas con el botón Seleccionar todo) y hacemos clic en Aceptar.

IMPRESIÓN DE IMÁGENES

Cuando nos apetezca imprimir la imagen que estamos viendo con el Visualizador de fotos de Windows, sólo tenemos que pulsar Control-P o hacer clic en el botón Imprimir y ejecutar **Imprimir**.

A continuación se abre un cuadro de diálogo como el de la figura 5.6, donde fijamos las características de la impresión: la impresora y el tamaño, calidad y tipo de papel. El panel derecho ofrece diversos modelos de plantillas para distribuir las imágenes en una misma hoja. En este caso, como sólo vamos a imprimir una fotografía, normalmente elegiremos `Fotografía de página completa` o `20 x 25`, porque en las otras plantillas sobrará papel. Claro que también podemos imprimir varias copias de una misma imagen, indicando su número en **Copias de cada imagen**, en cuyo caso quizás nos interese alguna de las otras plantillas de impresión.

¿Y cuál es la utilidad de la casilla **Enmarcar imagen**? Como las proporciones de la fotografía no siempre coinciden con las del papel, al imprimirla es posible que aparezcan bordes en blanco y, si está activada esta casilla, no se verán bordes en blanco, aunque es posible que los laterales de la imagen queden un poco cortados.

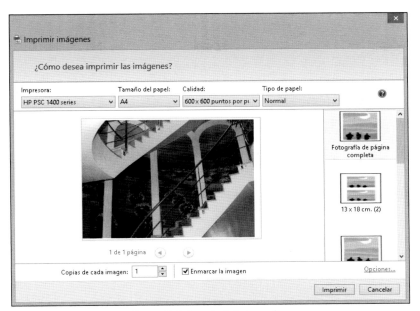

Figura 5.6. Imprimir fotografías.

Con las fotografías normales el recorte apenas se aprecia, pero en las panorámicas o en las que hayamos recortado manualmente, sí que podemos perder parte de la imagen, como observamos en la figura 5.7... Así que la decisión de enmarcar o no es cosa tuya. Una vez establecidas todas las características de la impresión, con Imprimir la iniciamos y sólo queda esperar unos instantes para tener las copias en papel de nuestras imágenes.

¿Y cómo podemos imprimir diferentes fotografías en una misma hoja? Basta con abrir la carpeta donde están las imágenes a imprimir, seleccionar las que nos interesa y, luego, ejecutar **Imprimir** de su menú contextual o pulsar el botón Imprimir de la ficha **Compartir** de su cinta.

Figura 5.7. Sin enmarcar (arriba) y enmarcada (abajo).

Se abre el cuadro de diálogo **Imprimir imágenes**, donde elegimos la configuración que prefiramos. Como observamos en la figura 5.8, si la plantilla escogida admite varias fotografías en una misma hoja, aparecerán en ella las seleccionadas con anterioridad.

Las imágenes, el audio y el vídeo

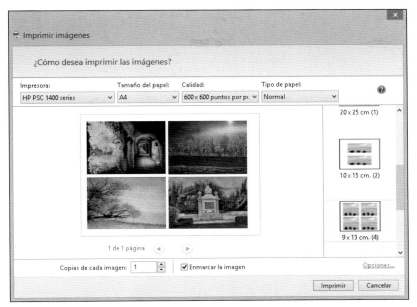

Figura 5.8. Para imprimir varias fotografías.

Si en alguna ocasión necesitamos una calidad mayor a la que ofrece nuestra impresora, siempre tenemos la opción de llevar los archivos gráficos a una tienda de fotografía. ¿Y si ninguna está cerca? ¿Y si no tenemos ganas de salir de casa?

Entonces, podemos pedir copias fotográficas en línea, activando el correspondiente comando del botón Imprimir, en el Visualizador de fotos de Windows. Sólo tendremos que ir siguiendo los pasos que nos marca el asistente y a los pocos días recibiremos las copias en casita... y el cargo correspondiente en nuestra tarjeta de crédito.

Dibujar con Paint

Desde tiempos inmemoriales, Windows incluye Paint, un sencillo y excelente programa con el que podemos crear nuestros propios dibujos y modificar o retocar imágenes. Aunque mucha gente considera que Paint es útil exclusivamente en el ámbito infantil, te aseguro que no es así; a pesar de ser un accesorio muy fácil de manejar, sus prestaciones son muy interesantes. ¡No lo infravaloremos!

Para activar este accesorio, lo buscaremos en la lista de aplicaciones. Como siempre, si llevamos idea de manejarlo con asiduidad, es buena idea anclarlo a la barra de tareas.

En la figura 5.9 vemos que la mayor parte de la ventana de Paint la ocupa el área de dibujo, pero también hay otros elementos que utilizaremos continuamente.

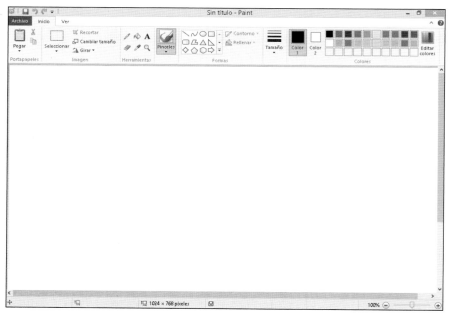

Figura 5.9. Ventana de Paint.

- La barra de título muestra los nombres del archivo abierto (`Sin título`, cuando todavía no lo hemos guardado) y del programa. Por defecto, a su izquierda, se encuentra la barra de herramientas Acceso rápido, que ya conocemos de WordPad… Como siempre, con Deshacer o Control-Z anulamos la última acción, si repetimos el comando la anterior, etc.; con Rehacer o Control-Y logramos el efecto inverso.

- La cinta incluye las fichas **Inicio** y **Ver**. La primera incluye las herramientas y opciones de dibujo; la segunda nos sirve para decidir qué elementos vemos en la ventana y cómo los vemos.

- La barra de estado muestra diversas informaciones, entre ellas la posición del puntero, que resulta fundamental cuando hacemos dibujos precisos. Además, a su derecha, disponemos de unos controles para ajustar el visionado de la imagen (la misma función tienen las opciones del grupo **Zoom** de la ficha **Ver**).

- Las barras de desplazamiento nos permiten desplazarnos por la imagen si su tamaño es superior a la ventana del área de dibujo.

Antes de pasar a emplear las herramientas de dibujo para realizar nuestras primeras creaciones artísticas, hay algunos detalles que interesa comentar sobre la ficha **Archivo**:

- Con **Abrir** podemos editar cualquier imagen que tengamos guardada.

- **Guardar como** nos brinda la posibilidad de conservar la imagen que estamos editando con otro nombre o en otro tipo gráfico.

- Como ya sabemos, antes de imprimir la imagen actual es muy conveniente configurar la impresión, mediante las opciones de **Imprimir**.

- **Establecer como fondo de escritorio** nos ofrece diversas opciones para colocar como fondo del escritorio la imagen que tengamos editada en ese momento.

- **Propiedades** abre un cuadro de diálogo donde, entre otras cosas, podemos cambiar las dimensiones de la imagen. Si el tamaño original de la imagen es mayor que el establecido, se cortará por su derecha y/o por abajo.

El primer paso, previo a dibujar cualquier cosa, es determinar el tamaño que tendrá la imagen, tal y como acabamos de ver. Después seleccionaremos los colores con los que vamos a trabajar en cada momento.

Disponemos de dos colores para cada acción: el color con el que dibujamos (Color 1) y el color de fondo (Color 2). Los elegimos en el grupo **Colores** de la ficha **Inicio**; hacemos clic en Color 1 o Color 2, según sea el caso, y luego en el color que deseemos del cuadro de colores. Lógicamente, en cualquier momento podemos cambiar de colores para seguir dibujando.

¡Cómo! ¿Ninguno te acaba de gustar? Siempre es posible personalizar a nuestro gusto los colores con Editar colores. En el cuadro de diálogo que se abre, definimos nuestro propio color y lo conservamos con Agregar a los colores personalizados; así, estará también disponible en el cuadro de colores.

¿Todo listo? Todavía no. Antes de comenzar a dibujar aún quedan unos aspectos por determinar:

- En Pinceles elegimos con qué tipo de pincel vamos a dibujar: caligráfico, lápiz, aerógrafo, etc.

- En Tamaño fijamos el grosor de la trazada.

- Si queremos que todo el área de dibujo tenga el color de fondo, pulsamos Control-E y, luego, Supr.

Ahora sí. Ya podemos utilizar las herramientas de los grupos **Herramientas** y **Formas**, sobre las que es necesario hacer clic antes de su empleo. Como éste resulta tan sencillo e intuitivo, nos limitaremos a esos pequeños detalles que no son evidentes.

- Lápiz: Manteniendo pulsado el ratón podemos dibujar a mano alzada, lo que no es fácil, ni mucho menos. Si el botón pulsado es el principal, dibujamos con el color 1; si es el botón secundario, con el color 2.

- **Relleno con color**: Rellenamos con el color 1 o 2, según cuál sea el botón que pulsemos del ratón, cualquier figura cerrada previamente dibujada. Sólo tenemos que hacer clic en su interior.

- **Borrador**: Para borrar algo pasamos el puntero por encima manteniendo pulsado el botón principal. Eso sí, el borrador se limita a dibujar con el color de fondo y, si hemos cambiado éste, lo que hacemos es emborronar, en lugar de borrar.

Por otro lado, Paint también incluye varias formas prediseñadas que podemos insertar en nuestros dibujos, personalizándolas a nuestro gusto. Sólo tenemos que escoger una de las presentes en el grupo **Formas** y, luego, hacer clic en el área de dibujo y arrastrar el ratón.

Como vemos en la figura 5.10, la forma aparece delimitada por una línea discontinua. Ahora podemos desplazarla a otro lugar, sin más que arrastrar el ratón, o cambiar sus dimensiones, arrastrando los pequeños cuadraditos que hay en las esquinas y en los puntos medios de sus límites.

- **Contorno** nos ofrece diferentes contornos para la forma y **Rellenar** diversos rellenos. Si vamos colocando el puntero sobre uno de ellos, apreciaremos su efecto.

- Si mientras insertamos una forma estamos pulsando la tecla **Mayús**, se dibuja manteniendo sus proporciones o se regularizan. Por ejemplo, las elipses serán círculos, los rectángulos cuadrados, etc.

- En la forma Curva, una vez trazada la línea, debemos arrastrarla para darle curvatura. Como podemos aplicar dos curvaturas, si sólo queremos una, finalizaremos con un clic.

- Con la forma Polígono creamos un polígono con cualquier número de lados. Para dibujar el primero, arrastramos el ratón y trazamos la recta; luego, hacemos clic en los siguientes vértices e iremos obteniendo los demás lados. Finalmente, cerramos el polígono haciendo doble clic en el último vértice.

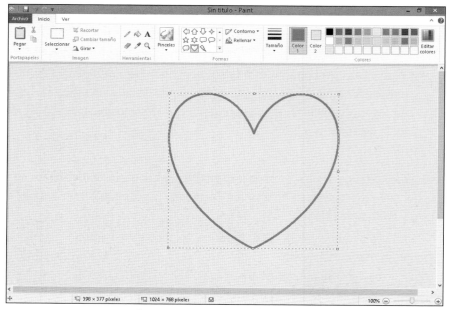

Figura 5.10. Una forma en el dibujo.

MODIFICAR IMÁGENES CON PAINT

Para retocar cualquier fotografía que hayamos abierto desde Paint, podemos utilizar las herramientas comentadas antes; sin embargo, no resulta fácil hacerlo cuando la imagen se visualiza a su tamaño original.

Si queremos trabajar más cómodamente, lo mejor es ampliar la imagen y, para ello, podemos utilizar Lupa. Mientras no cambiemos de herramienta, el puntero adoptará el aspecto de una lupa y haciendo clic sobre la imagen la vamos ampliando (si el clic lo realizamos con el botón secundario, disminuimos la escala). También conseguimos lo mismo con las opciones del grupo **Zoom** de la ficha **Ver** y con los controles de visión presentes en la barra de estado.

Además, mediante las opciones de la ficha **Ver** podemos mostrar unas reglas y una cuadrícula, que nos permiten hacer retoques más perfectos, y también una miniatura de la imagen, para saber dónde nos encontramos en cada momento cuando la imagen está ampliada. En la figura 5.11 observamos el efecto de estas utilidades.

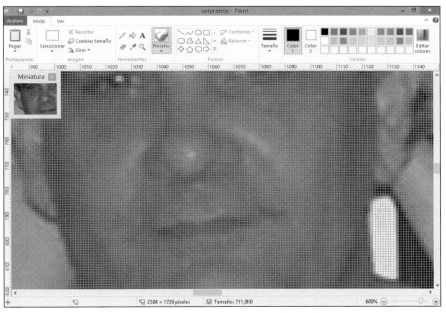

Figura 5.11. Imagen ampliada, con cuadrícula, reglas y miniatura.

Cuando pretendemos hacer retoques, es normal que los colores de la fotografía no sean los mismos que aparecen en el cuadro de colores y, si optamos por alguno de estos, probablemente el resultado dejará mucho que desear.

Para obtener exactamente el mismo color que hay en un punto, utilizaremos la herramienta Selector de color. Tras seleccionarla y hacer clic con ella en un punto, el color de éste último pasará a ser Color 1 o Color 2, según cuál sea el botón del ratón que hayamos pulsado.

Por otro lado, en ocasiones nos puede apetecer añadir algún texto a la imagen. El procedimiento es muy sencillo.

1. Hacemos clic en la herramienta Texto.

2. Señalamos, arrastrando el ratón, el cuadro donde escribiremos el texto.

3. Automáticamente Paint muestra una nueva ficha, **Texto**, donde seleccionamos la fuente que tendrá el texto y si éste dejará ver la imagen, como si fuera transparente, o si es opaco, de modo que su cuadro ocultará la parte de imagen que hay bajo él.

4. Escribimos lo que nos apetezca. Si lo deseamos, podemos cambiar el formato de la fuente o el color de lo ya escrito (seleccionándolo previamente) o fijar otras características distintas para lo nuevo que vayamos a seguir escribiendo.

Finalmente, detengámonos en una actividad que es bastante habitual en Paint: trabajar con un fragmento de la imagen o fotografía, que podemos cambiar de posición, pegar en otra imagen o en un documento WordPad, etc. Como es lógico, antes de hacer cualquier acción, lo primero es seleccionar el fragmento de imagen que nos interesa... con una de las siguientes formas de Seleccionar:

- **Selección rectangular**: Nos ofrece la opción de seleccionar un fragmento rectangular de la imagen. Tras elegir esta opción, llevamos el puntero a una de las esquinas del rectángulo y lo arrastramos hasta la opuesta.

- **Selección de forma libre**: Nos permite seleccionar un fragmento sin forma. Sólo tenemos que activar esta herramienta y arrastrar el ratón alrededor del fragmento que nos interesa, que aparecerá remarcado por un rectángulo punteado.

- **Seleccionar todo** o Control-E: Para seleccionar todo el contenido del área de trabajo.

Una vez realizada la selección, podemos copiarla o moverla dentro de la misma imagen o cambiar manualmente su escala. Las dos primeras operaciones las llevaremos a cabo en la forma habitual, es decir, arrastrando la selección, manteniendo o no pulsada la tecla Control; en cuanto al cambio de sus dimensiones, arrastraremos los pequeños cuadraditos que hay en sus bordes.

Si desplegamos el menú contextual de una selección, mostrado en la figura 5.12, encontramos una serie de comandos ya conocidos (los primeros) y otros nuevos que nos serán de utilidad, también disponibles en el grupo **Imagen**.

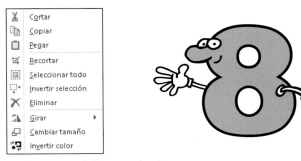

Figura 5.12. Menú contextual de una selección.

- **Recortar** nos deja únicamente con el fragmento seleccionado.

- **Girar** nos permite voltear la imagen en horizontal o vertical o girarla 90°, 180° o 270°.

- **Cambiar tamaño** nos ofrece las opciones de variar la escala en horizontal o en vertical (con **Cambiar de tamaño**) y deformar la imagen en sentido horizontal o vertical un ángulo comprendido entre −89° y 89° (con **Sesgar**).

- **Invertir colores** sustituye cada color por su complementario.

En el grupo **Portapapeles** de la ficha **Inicio** encontramos Pegar. Con su opción **Pegar desde** podemos insertar en la imagen actual cualquier otra guardada en el equipo.

Capturas de pantalla

A lo largo de este libro han ido apareciendo muchas capturas de ventanas o de toda la pantalla para ilustrar las explicaciones. Cuando necesitemos hacer algo similar, podemos utilizar las dos opciones de teclado que nos ofrece Windows 8 para capturar en memoria la ventana activa o toda la pantalla:

- **Alt-ImprPant** copia en memoria la visualización de la ventana activa.

- **ImprPant** captura toda la pantalla.

Luego, podemos llevar la imagen a Paint, con **Pegar**, y conservarla en un archivo, con **Guardar**. También tenemos la opción de pegarla directamente en la aplicación de Windows que nos interese y, luego, olvidarnos de la imagen capturada.

Otra posibilidad más interesante y útil consiste en capturar toda la pantalla y guardarla automáticamente en un archivo png, en la subcarpeta `Capturas de pantalla` de la carpeta `Imágenes`.

¿Y qué debemos hacer para conseguirlo? Sólo pulsar **Windows-ImprPant**. ¡Más fácil imposible! Además, este truco también funciona con las aplicaciones de la pantalla Inicio, como comprobamos en la figura 5.13.

Por último, el accesorio Recortes de Windows 8 nos brinda otras alternativas más versátiles para realizar capturas de pantalla en el escritorio, de manera cómoda y sencilla. Así, cuando nos interese capturar parte de lo mostrado en pantalla, sólo tenemos que hacer lo siguiente:

1. Activar el accesorio Recortes, en la forma habitual. Sobre la pantalla difuminada, se abrirá su ventana, que vemos en la figura 5.14.

2. En la lista de **Nuevo** seleccionamos el tipo de recorte: forma libre, rectangular, de ventana o de pantalla completa. Los dos últimos corresponden a las pulsaciones de teclas citadas con anterioridad (**Alt-ImprPant** e **ImprPant**).

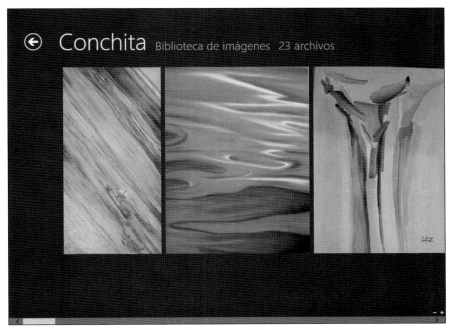

Figura 5.13. Captura de una pantalla de la aplicación Fotos.

Figura 5.14. Recortes.

3. Se difumina la pantalla y, arrastrando el ratón, seleccionamos el formato libre o rectangular que nos interesa; si se trata de capturar una ventana sólo debemos hacer clic en ella. ¿Y si es pantalla completa? Todavía mejor, pues no tenemos que hacer nada.

4. Pasamos a la ventana de marcado, que será similar a la mostrada en la figura 5.15.

Figura 5.15. Ventana de marcado en recortes.

5. Los comandos del menú **Archivo**, que equivalen a los primeros botones de la barra de herramientas, nos permiten olvidarnos del recorte actual y pasar a otro (**Nuevo recorte**), guardar el recorte editado en un archivo gráfico o como página web (**Guardar como**) y enviarlo a otra persona mediante un email (**Enviar a**).

6. Con los últimos botones de la barra de herramientas, análogos a los comandos del menú **Herramientas**, podemos escribir anotaciones manualmente (Lápiz) en el recorte o resaltar alguna cosa (Marcador de resaltado). Con Borrador eliminamos cualquiera de las anotaciones o resaltes introducidos en el recorte.

En ocasiones interesa capturar un recorte de un menú, pero no podemos hacerlo siguiendo el procedimiento habitual, porque el menú deja de estar visible cuando activamos Recortes. En estas situaciones haremos lo siguiente:

1. Activamos el accesorio Recortes.

2. Pulsamos **Esc** o hacemos clic en **Cancelar**. La ventana de Recortes sigue disponible en pantalla.

3. Abrimos el menú que deseamos capturar y pulsamos **Control-ImprPant**. Al igual que sucede en la figura 5.16, el menú estará visible y, ahora sí, en la forma usual recortamos lo que nos interese de la pantalla.

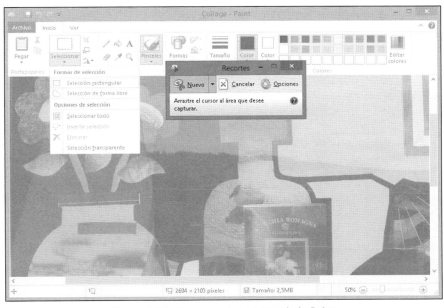

Figura 5.16. Para recortar un menú de Paint.

LOS DIFERENTES TIPOS DE AUDIO DIGITAL

Con el audio digital sucede más o menos lo mismo que con las imágenes digitales; es decir, un mismo elemento, audio ahora, puede conservarse en archivos de diferentes tipos… y lo mismo sucederá con el vídeo digital.

De todas formas, tampoco debemos apurarnos en demasía. Al igual que ocurre con las imágenes, aunque existen múltiples tipos de audio y vídeo digital basta conocer unos pocos para desenvolverse con soltura.

¿Recuerdas que en imágenes el tipo básico era bmp? Pues el equivalente en audio es wav. ¿Y por qué ese nombre tan extraño? Sencillamente, porque wav es la abreviatura del inglés *wave* (onda)… tengamos en cuenta que el sonido se transmite mediante ondas que, al impactar contra nuestro tímpano, generan las vibraciones que interpreta nuestro cerebro a su manera.

La calidad del sonido digitalizado en wav viene determinada por tres valores:

- *La velocidad de muestreo: Número de muestras que se toman por segundo. Se mide en KHz, kilohercio (mil muestras por segundo).*

- *El tamaño de la muestra: Amplitud que se digitaliza. Se mide en bits; 8 bits equivalen a 48 decibelios, 16 bits a 96 decibelios, etc.*

- *Los canales: Dos (estéreo) o uno (mono).*

Como no son muchas las personas que se aclaran con los valores anteriores, es preferible buscar una referencia más cercana, ¿no crees? Por ejemplo, la calidad de un CD de música, que no está nada mal, es 44,1 KHz, 16 bits y 2 canales.

Con los sonidos wav pasa igual que con las imágenes bmp; es decir, se leen muy fácilmente pero generan archivos de gran tamaño. Por ejemplo, una canción de cinco minutos en calidad CD equivale a un archivo wav de unos 50 MB.

En los primeros tiempos de Internet ese tamaño resultaba algo completamente fuera de lugar, así que se buscaron métodos para reducir el tamaño del archivo, manteniendo prácticamente intacta su calidad. Te suena esta cuestión, ¿verdad? Exactamente lo mismo que pasó con las imágenes, donde los archivos bmp acabaron comprimidos en jpeg.

Alrededor de 1987 apareció un nuevo método de compresión de audio, desarrollado por el Instituto Fraunhofer, que fue aprobado en 1992 por el MPEG. ¿Sabes a qué me estoy refiriendo? Exactamente, al superpopular mp3.

El nombre completo de mp3 es Motion Picture Experts Group - Layer 3 (grupo experto de gráficos en movimiento, capa 3).

Con el auge de Internet, los archivos mp3 comenzaron un despegue que les llevó al estrellato, donde permanecieron en solitario hasta que, a comienzos del nuevo siglo, Microsoft lanzó su propio formato de audio comprimido, wma (*Windows Media Audio*).

¿Y qué diferencias hay entre mp3 y wma? Para la mayoría de gente prácticamente ninguna, ya que ambos tipos de audio se reproducen sin problemas en todos los equipos.

Y en cuanto a la compresión del sonido, ¿cuál lo hace mejor? Pues, según se dice, la calidad de un wma a 96 Kbps viene a ser como un mp3 a 128 Kbps. En otras palabras, los wma comprimen algo más el sonido.

NOTA

La velocidad de bits, también conocida por bitrate, es el espacio que ocupa un segundo de grabación y se mide en kilobits (Kbps). Por tanto, para un mismo tipo, cuando mayor sea la velocidad de bits mejor será la calidad del audio, aunque también el archivo tendrá mayor tamaño.

¿Quieres averiguar la velocidad de bits de una canción mp3 o wma? Pues ejecuta **Propiedades** *de su menú contextual y ve a la ficha* **Detalles**. *Ahí aparece esa información.*

Otro de los formatos que reconoce Windows 8 y que está adquiriendo cierta popularidad en los últimos tiempos es aac (*Advanced Audio Coding*). Según algunas opiniones especializadas puede considerarse el verdadero sucesor del mp3, de hecho, a veces se difunde bajo archivos de extensión mp4. Sin embargo, como mp4 también se asocia con archivos de vídeo, cuando Apple adoptó este formato para su reproductor portátil iPod y su tienda iTunes, le asignó la extensión m4a.

CAMBIAR SONIDOS DEL SISTEMA

Por defecto Windows 8 reproduce breves sonidos al efectuar algunas acciones, como cerrar sesión, conectar un dispositivo, etc. Seguidamente vamos a ver cómo elegir otra combinación de sonidos diferente, así como evitar la reproducción de los sonidos aplicados a los eventos e, incluso, personalizar los sonidos con nuestros propios mensajes.

Todas estas operaciones las llevaremos a cabo en la ficha **Sonidos** del cuadro de diálogo de la figura 5.17, que podemos abrir yendo a la categoría **Hardware y sonido** del Panel de control y, luego, a **Sonido**. Como siempre el camino más rápido será acudirá al acceso **Buscar** e introducir un criterio de búsqueda apropiado, como Cambiar sonidos.

1. Desplegando la lista de **Combinación de sonidos** elegimos una de las combinaciones predeterminadas. ¿Y de qué forma comprobamos cómo resulta? En el cuadro **Eventos de programa** señalamos uno de los sucesos que tengan a su izquierda el icono de un altavoz; para escuchar su sonido asociado, hacemos clic en el botón Probar.

2. Si queremos cambiar ese sonido o asignarle audio a un evento que no lo tuviera, en **Sonidos** desplegamos la lista de disponibles o hacemos clic en Examinar para localizar el archivo wav correspondiente.

3. Cuando tengamos una combinación que sea de nuestro agrado, podemos conservarla con Guardar como.

Figura 5.17. Combinaciones de sonidos.

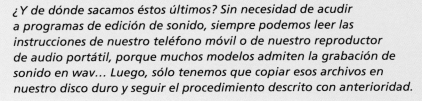

También podemos incluir mensajes personalizados al abrir o cerrar la sesión, al abrir un programa, etc. Por ejemplo, resulta muy gratificante escuchar la voz de esa persona tan especial diciéndonos "Buenas noches, que descanses" cuando apagamos el equipo.

Sólo tenemos que repetir el proceso anterior y en el paso 2, que por defecto busca en la subcarpeta Media de Windows, desplazarnos a la carpeta donde hayamos almacenado los mensajes. Eso sí, los sonidos del sistema deben estar en wav.

¿Y de dónde sacamos éstos últimos? Sin necesidad de acudir a programas de edición de sonido, siempre podemos leer las instrucciones de nuestro teléfono móvil o de nuestro reproductor de audio portátil, porque muchos modelos admiten la grabación de sonido en wav... Luego, sólo tenemos que copiar esos archivos en nuestro disco duro y seguir el procedimiento descrito con anterioridad.

¿Y no hay alguna forma de quitar todos los sonidos asociados al sistema? Claro que sí, de hecho es algo muy habitual cuando reproducimos audio o vídeo, para evitar que nos molesten las notificaciones sonoras. Para conseguirlo sólo tenemos que seleccionar Sin sonidos en **Combinación de sonidos** de la figura 5.17 y hacer clic en Aceptar.

En ocasiones interesa que no se escuche nada en el equipo para no molestar a otras personas. Lo más rápido es hacer clic en el icono Altavoces del área de notificación y, luego, en Silenciar Altavoces. También podemos ahí variar el volumen de reproducción deslizando el control.

EL REPRODUCTOR DE WINDOWS MEDIA

El Reproductor de Windows Media es uno de los programas que más atractivos de Windows 8. Sí, utilidad práctica no tiene mucha, pero, ¡qué maravillosa es la música! ¿Y no reproduce vídeo? ¡Desde luego que sí!

¿Y cómo activamos el Reproductor de Windows Media? Pues tenemos múltiples caminos para ponerlo en marcha; por ejemplo:

- Buscarlo la lista de aplicaciones o hacer clic en su botón si lo hemos anclado a la barra de tareas. Luego, elegimos qué deseamos reproducir.

- Activar el icono de cualquier archivo reconocible por el Reproductor de Windows Media, que inmediatamente se reproduce.

- Introducir un CD de audio en la unidad lectora. Recordemos que, con **Programas predeterminados**, podemos decidir qué acciones tendrán lugar cuando introduzcamos en la lectora un CD de audio, por ejemplo.

*La primera vez que ejecutamos el Reproductor de Windows Media nos surge una ventana para que elijamos su configuración inicial. Mejor nos quedamos con **Configuración recomendada**.*

Comencemos viendo las principales prestaciones del Reproductor de Windows Media a la hora de reproducir música y, para concretar, supongamos que vamos a escuchar varios archivos wma o mp3 que tenemos almacenados en una carpeta.

Como al inicio del capítulo ya establecimos el Reproductor de Windows Media como aplicación predeterminada para el audio, ahora sólo tenemos hacer clic en el botón **Reproducir todo**, presente en la ficha **Reproducir** de la cinta.

¿Y si únicamente nos apetece escuchar unos pocos? Pues los seleccionamos y hacemos clic en **Reproducir selección**. Esta posibilidad también la tenemos en el menú contextual de la selección.

Por ejemplo, si reproducimos de esta forma varias canciones, comprobaremos que, en ocasiones, se nos muestra la carátula del álbum correspondiente, como sucede en la figura 5.18… y es que, al igual que sucede con las fotografías, algunos archivos de audio también incluyen metadatos.

Figura 5.18. Reproduciendo música.

En principio, la ventana del Reproductor de Windows Media, muestra sólo la carátula del disco y su intérprete (o el título del disco o el nombre de la canción). Para que aparezcan los controles de reproducción, como en la figura 5.18, debemos situar el puntero sobre ella.

- La vista del Reproductor de Windows Media correspondiente a la figura 5.18 se llama Reproducción en curso (¡originalidad ante todo!); sin embargo, es posible que al activar el Reproductor de Windows Media éste se muestre en la vista Biblioteca, que vemos en la figura 5.19 y que comentaremos más tarde. Para cambiar de una visualización a otra, disponemos de los botones ubicados en las esquinas derechas: **Cambiar a biblioteca** (**Control-1**) y **Cambiar a Reproducción en curso** (**Control-3**).

Figura 5.19. Vista Biblioteca del Reproductor de Windows Media.

- Los controles de reproducción son tan comunes que no precisan comentarios. No obstante, hay una serie de combinaciones de teclas que pueden ahorrarnos algo de trabajo: **Control-H**, activa o desactiva el orden aleatorio y así no sabemos qué canción sigue a la actual; **Control-T** hace que nuestra selección musical vuelva a repetirse cuando llega a su final o anula la repetición; **F7** quita el volumen o lo recupera y con **F8** y **F9** disminuimos o aumentamos el volumen de reproducción.

- Las acciones anteriores también las tenemos disponibles en el menú contextual del Reproductor de Windows Media o en su barra de menús (si está oculta, la mostramos momentáneamente con **Alt**), donde hay muchísimas opciones. Lamentándolo mucho, es imposible comentarlas todas porque las páginas de este libro son limitadas y ya nos quedan pocas; de modo que sólo veremos las más habituales... el resto puedes investigarlas por tu cuenta, ¿de acuerdo?

- Si minimizamos el Reproductor de Windows Media seguimos escuchando la música lógicamente. Además, al colocar el puntero sobre su botón en la barra de tareas aparecen unos sencillos controles (los vemos en la figura 5.20) para gestionar la reproducción sin necesidad de restaurar la ventana.

Figura 5.20. Minimizado el Reproductor de Windows Media.

Los diferentes tipos de vídeo digital

Como ya sabemos, los tipos básicos en imagen y audio son bmp y wav, que han cedido el relevo a jpeg o png y mp3 o wma, respectivamente.

En cuanto al vídeo digital, el equivalente básico es el tipo avi (*Audio Video Interleave*, audio y vídeo entrelazado), aparecido 1992. Su estructura era similar a las antiguas películas de celuloide; se trataba de una colección de imágenes (fotogramas) en bmp que, al ir pasando con rapidez, producen en la retina humana sensación de movimiento.

Claro que los archivos avi originales (los modernos son contenedores de divX y Xvid) tenían el mismo inconveniente que los bmp y wav; es decir, su gran tamaño. Por ejemplo, un segundo de filmación a tamaño reducido (320 x 240), mostrando

30 imágenes con color de 24 bits, ocupaba más de seis megas (sólo tienes que hacer los cálculos 320 x 240 x 30 x 24 bits y lo comprobarás). Si hoy en día seis megas por segundo es una barbaridad, imagina en aquellos años. En resumen, el tipo avi fue sustituido por otro formato de vídeo, mpeg, desarrollado por el MPEG (*Moving Pictures Expert Group*).

Desde su aparición el formato mpeg ha sido uno de los grandes estándares de vídeo digital y es reconocido por prácticamente todos los reproductores de sobremesa y, faltaría más, también por Windows 8, que les asigna el tipo Clip de película.

El formato mpeg admite varias modalidades, que coexisten en la actualidad y cuyos nombres se suelen escribir en mayúsculas:

- *MPEG-1: Diseñado para incluir vídeo en los CD-ROM. Su resolución es 352 x 240 (sistema NTSC, el de la televisión americana) o 352 x 288 (sistema PAL, televisión europea). Su calidad de imagen es similar a la ofrecida por los antiguos vídeos VHS.*

- *MPEG-2: Su resolución más habitual es 720 x 576. Precisamente MPEG-2 es la codificación que se emplea tanto en los DVD como en la televisión digital.*

- *MPEG-4: Ofrece excelente calidad de imagen y gran compresión, así que cada vez es más popular. Se acostumbra a ofrecer en archivos mp4, que Windows 8 reconoce sin problemas.*

Claro que Microsoft no podía quedarse al margen de la industria del entretenimiento y lanzó al mercado un nuevo formato de vídeo comprimido wmv (*Windows Media Video*), que une a su calidad de imagen una buena compresión.

Si deseamos averiguar las características técnicas de un archivo de vídeo (duración, tamaño de la imagen, cuántos fotogramas se nos muestran por segundo, etc.) sólo tenemos que ejecutar **Propiedades** de su menú contextual e ir a la ficha **Detalles**, que se muestra en la figura 5.21.

Figura 5.21. Propiedades de un vídeo mp4.

¡Cómo! ¿Ya está todo? ¿Y qué pasa con los superpopulares divX y Xvid? Lo cierto es que no se tratan de nuevos formatos de vídeo comprimido, sino de dos tipos de códec. ¿Y qué es eso de un códec? Pues un códec (codificador-decodificador) es simplemente un pequeño programa que contiene instrucciones para comprimir y descomprimir vídeo, o audio en su caso. Hace más de una década surgieron dos nuevos códecs, divX y Xvid, que ocasionaron un seísmo en el mundo del vídeo digital. Ambos generan archivos avi (tipo Clip de vídeo, en Windows 8) y su popularidad se debe a su aceptable calidad de imagen, su gran reducción de tamaño y, no por último menos importante, su gratuidad.

¿Y cuántos códecs distintos hay? Muchos, como siempre, y varios de ellos seguro que están instalados en nuestro ordenador. ¿Queremos saber cuáles? Sólo tenemos que hacer lo siguiente:

1. Ponemos en marcha el Reproductor de Windows Media.

2. Pulsamos la tecla Alt, para desplegar sus menús.

3. En **Ayuda** ejecutamos **Acerca del Reproductor de Windows Media**.

4. En la ventana informativa, hacemos clic en el enlace inferior, **Información de soporte técnico**.

5. Inmediatamente se activa Internet Explorer y, al igual que vemos en la figura 5.22, nos muestra dicha información.

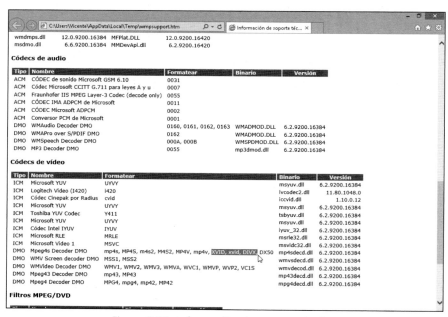

Figura 5.22. Información de soporte técnico.

Como se aprecia en la figura 5.22, Windows 8 incorpora los códecs divX y Xvid, por lo que reproduce directamente sus archivos correspondientes. Por tanto, podemos seguir los mismos pasos que hemos visto en la reproducción de audio; claro que como normalmente vemos sólo un archivo de vídeo, al ser de larga duración, la mayoría de la gente se limita a hacer clic sobre el icono del vídeo e, inmediatamente el Reproductor de Windows Media se pondrá en marcha para mostrárnoslo, como sucede en la figura 5.23 (con el botón de la esquina inferior derecha podemos ver el vídeo a pantalla completa).

Figura 5.23. Un vídeo avi, con códec Xvid.

Se dice que un archivo de vídeo es dual, cuando incluye dos pistas de audio, en dos idiomas diferentes. Cuando reproduzcamos un vídeo dual con el Reproductor de Windows Media y queramos cambiar de uno a otro idioma, pulsaremos Alt *y, en* **Reproducir**, *iremos a* **Pistas de audio e idioma**.

Sin embargo, las cosas en Informática no son siempre sencillas y, cuando menos te lo esperas, surgen los problemas. En alguna ocasión nos puede suceder que al reproducir un archivo en nuestro equipo, que hemos visto perfectamente en otro, resulta que la imagen no se ve, el audio falla, los subtítulos no aparecen, etc.

¿Por qué nos sucede esto? ¿Tenemos algún gafe? Ni mucho menos, lo que sucede es que ese archivo maneja un códec que no tenemos instalado en nuestro equipo. ¡Ahí está el problema!

¿Y cómo sabemos de qué códec se trata? ¿Y qué hacemos luego? Para evitar complicaciones y pérdidas de tiempo, lo más rápido y eficaz es instalar un buen paquete de códecs, que incluya los más utilizados. Uno de los paquetes más populares es K-Lite; es gratuito y puede descargarse desde `http://codecguide.com/`.

Windows 8 no incluye códecs para DVD. ¿Y eso qué significa? Sencillamente, que no podemos disfrutar de nuestros DVD de vídeo con el Reproductor de Windows Media.

La razón de esta política empresarial radica en que el soporte DVD de vídeo se está quedando bastante obsoleto y, según Microsoft, no tiene mucho sentido cobrar la licencia de reproducción a todo el mundo, cuando es muy poca la gente que reproduce sus vídeos DVD en el ordenador.

En otras palabras, para no aumentar el precio de Windows 8, éste no lleva licencia para reproducir vídeo DVD. ¿Qué opinas del tema?

¿Te interesa seguir reproduciendo tus discos DVD en tu equipo? Si la respuesta es afirmativa, entonces necesitarás instalar alguna aplicación adicional, como Windows Media Center o PowerDVD, que pueden conllevar un cierto desembolso. ¿Recuerdas la utilidad de la aplicación Tienda de la pantalla Inicio?

¿No quieres rascarte el bolsillo? Pues siempre puedes agenciarte un reproductor adicional gratuito. Por ejemplo, VLC media player (`http://www.videolan.org/vlc/`) reproduce sin problemas los DVD.

LAS MÁSCARAS DEL REPRODUCTOR DE WINDOWS MEDIA

El Reproductor de Windows Media también nos ofrece la posibilidad de cambiar su aspecto, como si se le aplicase una máscara encima. Por ejemplo, aunque parezca sorprendente, lo que vemos en la figura 5.24 es el Reproductor de Windows Media... con una máscara.

Para acceder a las máscaras prediseñadas del Reproductor de Windows Media, una vez que lo tenemos en marcha hacemos lo siguiente:

1. Pulsamos la tecla **Alt** y, en el menú que se despliega, vamos a **Ver** y ejecutamos **Selector de máscaras**.

Figura 5.24. Curiosa máscara.

2. Accedemos de esta forma a la ventana de la figura 5.25, donde seleccionamos la que nos interesa. Aunque en principio sólo encontramos dos máscaras, que tampoco son demasiado atractivas, la verdad.

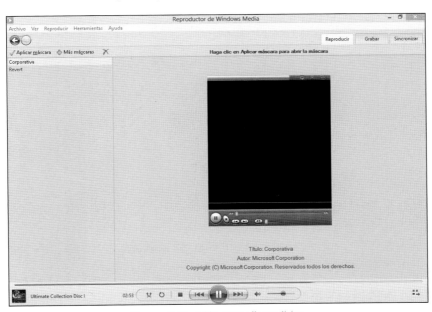

Figura 5.25. Máscaras disponibles.

Entonces, ¿de dónde ha salido la máscara de la figura 5.24? De Internet, como siempre. Basta con seguir los pasos que se detallan a continuación.

Para eliminar una máscara, la seleccionamos en la lista de la figura 5.25 y pulsamos Supr.

1. Hacemos clic en el botón Más máscaras de la figura 5.25

2. Se activa Internet Explorer y nos abre una página web donde hay múltiples máscaras (*skins*, en inglés).

3. Cuando encontremos una que nos parezca atractiva, hacemos clic en su enlace **Descargar**.

4. Se abrirá un cuadro de diálogo similar al mostrado en la figura 5.26 y hacemos clic en Abrir.

¿Quieres abrir o guardar **T3-Skynet_Media_Player.wmz** (2,33 MB) desde **download.microsoft.com**?   Abrir   Guardar ▼   Cancelar

Figura 5.26. Para descargar una máscara.

5. En el siguiente cuadro de diálogo confirmamos, con Sí, que deseamos abrir el archivo en el equipo.

6. Instantes después, la máscara descargada aparecerá en la lista izquierda de la figura 5.25. Con sólo hacer doble clic sobre su nombre, el Reproductor de Windows Media adoptará un nuevo aspecto.

¿Y cómo abandonamos la máscara? Pues con Control-1 o Control-3 cambiamos a una de las vista ya conocidas y con Control-2 volvemos a la máscara. Además, desplegando el menú contextual de cualquier zona vacía de la máscara, se nos ofertan múltiples opciones para controlar la reproducción.

RIPEAR UN CD DE AUDIO

En este apartado veremos cómo ripear un CD mediante el Reproductor de Windows Media, para generar archivos de audio a partir de la música almacenada en un disco. Posteriormente, si copiamos los archivos wma o mp3 creados en una tableta, en el móvil, etc., disfrutaremos de nuestra música preferida cuando nos apetezca.

¿Y qué es eso de ripear? En Informática se denomina *ripper* (destripador) a cualquier programa que crea archivos a partir del audio de un CD o el vídeo de un DVD. Derivado de ese término inglés, se ha popularizado en nuestro idioma el vocablo "ripear" para aludir a la creación de archivos a partir de discos de audio o vídeo. ¿Aclarada la cuestión?

Tomemos, por tanto, el CD de audio que deseamos ripear e introduzcámoslo en la unidad lectora. Si se trata de la primera vez, nos puede surgir la conocida ventana donde decidimos qué hacer (ahora Reproducir CD de audio) y, enseguida, escucharemos la música de nuestro disco, como sucede con la figura 5.27.

En la figura 5.27 observamos que aparece la carátula del disco y el título de las canciones que conforman el disco. ¿Acaso esa información está almacenada en el propio CD de audio? Por desgracia no.

Entonces, ¿cómo averigua esos datos el Reproductor de Windows Media? Pues por el camino de siempre, es decir, Internet. El equipo se conecta automáticamente a un servidor que comprueba si el disco está en su base de datos, en cuyo caso muestra los títulos de las canciones y la carátula.

¿Y cómo sabe el servidor de qué CD se trata? El sistema que se sigue en estos casos es mirar el número de pistas que hay en el disco y la duración exacta de cada una de ellas. La probabilidad de que haya dos CD distintos con el mismo número de canciones y cada una tenga la misma duración es prácticamente nula.

Figura 5.27. Un disco genial.

Para no alargar demasiado las explicaciones, vamos a dividir en dos partes el proceso de ripear el audio de un CD. En primer lugar veremos cómo configurar las características que tendrán los archivos generados y, luego, el camino para crearlos.

Vayamos con la primera cuestión. Como es de suponer que casi siempre utilizaremos la misma configuración, una vez fijadas las características de la creación de archivos, nos olvidaremos de este tema, salvo que deseemos modificarlas más adelante, repitiendo los mismos pasos que se detallan a continuación.

1. Activamos el Reproductor de Windows Media y, si es necesario, pulsamos la tecla **Alt** para desplegar los menús.

2. En el menú **Herramientas** ejecutamos **Opciones**, que abre el cuadro de diálogo de la figura 5.28, cuya ficha **Copiar música desde CD** es la que nos interesa ahora.

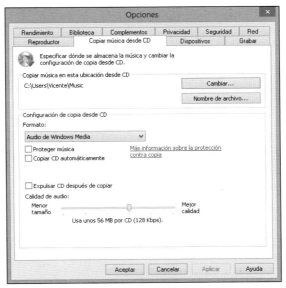

Figura 5.28. Para configurar los archivos que vamos a crear.

3. Por defecto, al ripear un CD de audio se crea, dentro de nuestra carpeta **Música**, una carpeta con el nombre de su intérprete, que contiene a su vez otra carpeta con el título del CD; es en esta última donde se guardan los archivos creados. Con el botón **Cambiar** tenemos la posibilidad de elegir otra carpeta en lugar de **Música**.

4. En principio, los archivos tendrán un nombre formado por su número de pista y el título de la canción; por ejemplo, **04 vincent**. Si nos apetece que aparezca su intérprete, título del álbum, etc., hacemos clic en el botón **Nombre de archivo** y, en un nuevo cuadro de diálogo, activamos las casillas de los datos que deseamos se incluyan en el nombre de los archivos que se crearán. Los botones **Subir** y **Bajar** nos permiten alterar el orden en que esos datos formarán parte del nombre.

5. En el campo **Formato** debemos elegir qué tipo preferimos para los archivos que se crearán al ripear el CD de audio. Si descartamos los dos sin pérdidas, que generan archivos muy grandes, y Windows Media Audio Pro que todavía no es muy compatible, nos quedan wma y mp3... La decisión final es tuya.

6. En la sección **Calidad de audio** aparecen prefijados unos valores que son bastante aceptables. De todas formas, si queremos aumentar la calidad (nunca es aconsejable bajarla), sólo tenemos que mover el control deslizante y elegir valores superiores, aunque, como es lógico, los archivos resultantes serán de mayor tamaño.

7. Finalmente, cuando todo esté a nuestro gusto, hacemos en Aceptar.

Bueno, ya hemos configurado las características que tendrán los archivos que crearemos a partir de cualquier CD de audio. Recordemos que sólo debemos repetir el procedimiento anterior cuando queramos modificar dicha configuración, algo que no será muy habitual.

Pasemos ahora a la creación de nuestros archivos wma o mp3; el procedimiento es muy sencillo.

1. Introducimos un CD de audio en la lectora y lo escuchamos con el Reproductor de Windows Media en su vista Biblioteca. Al igual que sucede en la figura 5.29, en pantalla tendremos el listado de todas las canciones del disco; si quisiésemos modificar la configuración de la copia del audio también podemos hacerlo mediante las opciones disponibles en Configuración de copia desde CD.

2. A la izquierda de cada canción hay una casilla que, por defecto, está activada. Todas las señaladas se copiarán en el disco duro; por tanto, si queremos omitir alguna canción, tenemos que desactivar su correspondiente casilla.

3. Cuando hayamos terminado de seleccionar las canciones que nos interesan, hacemos clic en el botón de la barra de herramientas Copiar desde CD.

Figura 5.29. Banda sonora de una magnífica película.

4. Mientras seguimos escuchando el disco, sus pistas se codifican en wma o mp3, según el formato que hayamos elegido en la configuración. Tras unos pocos minutos de espera, tendremos los archivos con las canciones en la correspondiente carpeta, caso de la figura 5.30. ¡Qué tiempos aquellos en que ripear un CD de audio duraba más diez horas!

NUESTRA BIBLIOTECA MULTIMEDIA

El Reproductor de Windows Media también nos facilita la organización de los archivos multimedia que guardamos en el equipo. Para acceder a ellos, sólo tenemos que pasar a la vista Biblioteca del Reproductor de Windows Media.

Figura 5.30. Canciones del disco anterior ya ripeadas.

Por ejemplo, si hacemos clic en alguna de las categorías de la biblioteca musical (Intérprete, Álbum, etc.), enseguida se nos muestra el contenido de nuestra biblioteca agrupado según esa categoría.

- Si desplegamos el menú contextual de un grupo, se nos ofrecen comandos para reproducir todo su contenido, agregarlo a la reproducción actual o a una lista, cambiar el texto (**Editar**) o asignarle una clasificación a todo su contenido y eliminarlo.

- Si abrimos un determinado grupo, se presenta su contenido desglosado y podemos cambiar, con las opciones de su menú contextual, cualquiera de las características del disco o establecer una clasificación diferente para cada canción. Además, si hacemos doble clic sobre cualquier canción, automáticamente comienza a reproducirse y si observamos la lista de reproducción del lateral derecho, caso de la figura 5.31, comprobaremos que todo el contenido del grupo está ahí.

Con el transcurso del tiempo, nuestra biblioteca irá siendo cada vez más amplia, especialmente si descargamos música de Internet o ripeamos muchos CD. En estos casos, la organización que establece el Reproductor de Windows Media en nuestra biblioteca musical resulta de gran ayuda, pero todavía nos hace falta algo más, para no tener que andar buscando las cosas. Por ejemplo, si tenemos varios discos de un mismo grupo, se tarda algo de tiempo en localizar ése que nos encanta especialmente; claro que la cuestión es mucho peor si nos apetece hacer una selección con canciones de diversos discos, ¿no crees?

Figura 5.31. Biblioteca agrupada por Álbum.

En ocasiones así es cuando vienen de perlas las listas de reproducción. ¿Y qué es eso? Se trata de pequeños archivos de texto que contienen una relación de los archivos que nos interesa reproducir en un determinado momento. Estas listas de reproducción tienen un doble cometido:

- Nos permiten guardar un listado de archivos, que pueden estar almacenados en diferentes carpetas.

- Nos facilitan el trabajo, pues sólo tenemos que activar el icono de la lista y comenzarán a reproducirse los elementos que la conforman.

¿Y cómo creamos una lista de reproducción con el Reproductor de Windows Media? Una vez hayamos entrado en su vista Biblioteca, lo más cómodo es irnos desplazando por la biblioteca y arrastrar los archivos que nos interesan a la lista del lateral derecho.

- Para cambiar el orden de reproducción de un elemento de la lista, lo más cómodo es arrastrarlo hasta la posición que prefiramos. **Subir** y **Bajar** de su menú contextual también hacen más o menos lo mismo.

- Para eliminar un elemento de una lista, lo seleccionamos y pulsamos Supr o, en su menú contextual, elegimos **Quitar de la lista**.

Cuando consideramos que la lista está a nuestro gusto, hacemos clic en el botón Guardar lista, le asignamos un nombre y asunto terminado. La lista creada estará siempre a nuestra disposición (hasta que la borremos) en la biblioteca para reproducirla rápidamente o hacer cambios en ella más adelante.

Además, en la carpeta `Listas de reproducción` de nuestra Biblioteca `Música` encontramos las listas de reproducción que hemos guardado. Sólo tenemos que activar su icono e, inmediatamente, comenzaremos a escuchar las canciones cuya referencia contiene. ¡Qué cómodo resulta!

El Reproductor de Windows Media guarda las listas en archivos wpl, por defecto, aunque también gestiona las listas m3u, que son las más comunes en Internet. Con **Guardar lista como** de Opciones de lista podemos cambiar su tipo. Por ejemplo, la segunda lista de la figura 5.32 tiene un icono diferente, al tratarse de una lista m3u.

Figura 5.32. Carpeta Listas de reproducción.

La aplicación Música de la pantalla Inicio reconoce sin problemas ambos tipos de listas de reproducción.

El Reproductor de Windows Media también nos facilita el sincronizar la biblioteca musical de nuestro equipo con nuestro reproductor portátil. De esta forma, las mismas selecciones que hagamos en el equipo las podemos disfrutar en el reproductor portátil.

¿Y no podemos abrir la unidad extraíble en la forma habitual y copiar los archivos como siempre? Desde luego, pero es una tarea engorrosa cuando tenemos muchas canciones. Con el auxilio del Reproductor de Windows Media, nuestro trabajo se reduce sobremanera ya que, si en la unidad portátil cabe toda la biblioteca, el Reproductor de Windows Media la sincroniza automáticamente… En los demás casos, tendremos que hacerlo manualmente.

Por ejemplo, supongamos que tenemos abierto el Reproductor de Windows Media y conectamos el dispositivo extraíble a un puerto USB. Instantes después, accedemos directamente a la ficha **Sincronizar** del lateral derecho, como vemos en la figura 5.33. Ahí se nos indica la capacidad del disco extraíble y, debajo, podemos crear una lista de sincronización, de forma similar a las listas de reproducción.

Cuando hayamos terminado con la lista (podemos incluir cualquier lista de reproducción previamente creada), hacemos clic en Iniciar sincronización y comienza el proceso, que puede durar bastante tiempo si hay que copiar muchos archivos, como es habitual en las primeras sincronizaciones. Al finalizar la sincronización, en el panel derecho se nos indica que ya podemos desconectar el dispositivo extraíble.

Más adelante, cuando repitamos el proceso, sólo se copiarán en la unidad extraíble las canciones de la nueva lista de sincronización que no estuvieran copiadas en la unidad con anterioridad.

Figura 5.33. Para sincronizar música.

Grabación de un CD de audio

Aunque los CD de audio no tienen el apogeo de hace una década, ni mucho menos, a veces interesa crear uno de estos discos a partir de una selección propia, para escucharlo en equipos de música no muy modernos.

Como vamos a ver, el proceso es muy sencillo, aunque antes de ponernos a grabar hay una serie de consideraciones técnicas que debemos tener en cuenta:

- Utilizaremos siempre CD no regrabables (es decir, CD-R), puesto que son los que no dan problemas... y los más baratos.

- A diferencia de lo que sucede con los datos, las pistas de audio se graban en una única sesión; es decir, no podemos grabar hoy tres canciones y mañana añadir dos más. Así que debemos tener preparados todos los archivos que vayamos a pasar al CD de audio.

- Los archivos que van a conformar el CD de audio han de tener formato wma, mp3 o wav.

- Es preferible no utilizar el Reproductor de Windows Media en otra cosa mientras se graba un disco.

Además, también es aconsejable configurar los parámetros de grabación, al igual que hacíamos al ripear discos. En este caso, tras activar el Reproductor de Windows Media y pulsar la tecla **Alt**, si nos hace falta, en **Herramientas** ejecutamos **Opciones** y pasamos a la ficha **Grabar**, mostrada en la figura 5.34.

- Es aconsejable elegir una velocidad de grabación no muy rápida. El proceso será algo más lento, pero el disco resultante se leerá mejor.

- Si los archivos tienen diversas procedencias, es aconsejable dejar activada la casilla **Aplicar la nivelación de volumen en las pistas**, para que no haya grandes diferencias de volumen entre las diferentes canciones.

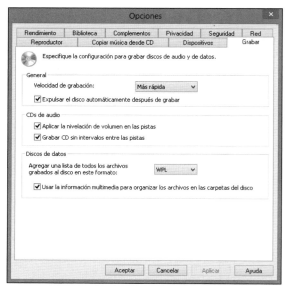

Figura 5.34. Para configurar la grabación.

- Los discos comerciales suelen dejar dos segundos en blanco entre canción y canción. Si está activada **Grabar CD sin intervalos entre las pistas** anulamos estos silencios.

Tras todos estos prolegómenos, vamos ya con la creación de un CD de audio.

1. Abrimos el Reproductor de Windows Media y hacemos clic en su ficha **Grabar**. Su panel es muy similar al de las listas de reproducción o sincronización.

2. Arrastramos a la lista de grabación los archivos de audio digital que vamos a grabar en el CD. Si los teníamos ya en una lista de reproducción, sólo tenemos que arrastrar ésta a la lista de grabación.

3. Si deseamos cambiar el orden de alguna canción, la arrastramos hasta su nueva posición.

4. El Reproductor de Windows Media nos permite grabar las canciones como pistas (en un disco de audio) y en forma de archivos (en un disco de datos). Para no equivocarnos, es preferible hacer clic en Opciones de grabación y asegurarnos de que está seleccionada la opción **CD de audio**.

5. Hacemos clic en Iniciar grabación y, si todavía no lo hemos hecho, nos tocará introducir un CD virgen en la grabadora.

6. A continuación, el Reproductor de Windows Media prepara las pistas del CD de audio y comienza a grabar las pistar que conformarán el disco.

Unos minutos más tarde, ya tenemos el disco listo para ser reproducido en cualquier equipo de música. ¿Verdad que ha sido fácil?

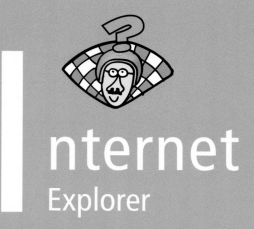

Internet
Explorer

Como sabemos desde el primer capítulo, una de las aplicaciones de la pantalla Inicio es Internet Explorer y ya vimos entonces cómo sacarle partido. Ahora, en este capítulo, nos vamos a centrar en la aplicación Internet Explorer para el escritorio.

¿Y por qué Windows 8 nos ofrece dos modalidades de Internet Explorer? Básicamente porque están pensadas para diferentes dispositivos: dispositivos táctiles/móviles y ordenadores. Así, la versión de la pantalla Inicio está más orientada a las tabletas, donde hay varios aspectos que son más primordiales que en un equipo de sobremesa: la duración de la batería, el visionado, la seguridad, etc. Por estas razones, Microsoft no permite complementos adicionales a la aplicación de la pantalla Inicio.

¿Y esto que significa? Pues que con ella podemos tener algún problema al reproducir algunos objetos, como vídeos Flash, a pesar de que Flash Player esté preinstalado. Como dice Microsoft en su sitio web: "sólo los sitios que se encuentran en la lista Vista de compatibilidad (CV) de Flash pueden reproducir contenido Flash dentro de Internet Explorer 10 en la nueva interfaz de usuario de Windows". En otras palabras, sólo se reproducen los vídeos de los sitios web aceptados por Microsoft (sí, claro que YouTube está en la lista).

¿Y qué hacemos si tenemos problemas con la reproducción de un vídeo de algún sitio web? Pues seguir al pie de la letra el consejo de Microsoft: "Reproduzca el vídeo usando Internet Explorer para escritorio".

Y es que en la versión de escritorio, como vamos a ver seguidamente, sí podemos ver todos los vídeos y, además, instalar complementos, sin olvidar que sus prestaciones y opciones de configuración son mucho más amplias que las existentes en la versión de Internet Explorer para la pantalla Inicio.

La ventana de Internet Explorer

Para ejecutar Internet Explorer debemos activar su botón de la barra de tareas. Si no estuviera, como lo vamos a emplear con bastante asiduidad, lo localizamos en la lista de aplicaciones y lo anclamos mediante su menú contextual, como siempre.

Instantes después, entramos en la página web principal que, por defecto, es MSN, el portal de Microsoft. Ahora vamos a dar un tranquilo paseo por este sitio web, para ir acostumbrándonos al entorno de Internet Explorer.

Cuando el puntero se transforma en una mano con el dedo extendido, eso nos indica que estamos sobre un enlace, también llamado hipervínculo o *link*. Según cómo haya sido definido, al pulsar sobre el enlace iremos a otra página (del mismo sitio web o de otro distinto), se reproducirá un clip musical, etc. Generalmente, el enlace suele estar asociado a imágenes, botones o texto con distinto color. Cuando nos cansemos de este sitio web, podemos visitar cualquier otro sin más que escribir su dirección en la barra de direcciones y pulsar Intro... ¡A navegar un ratito!

En Internet Explorer podemos omitir los caracteres http:// que preceden a toda dirección web.

Ahora detengámonos un momento en la parte superior de la ventana de Internet Explorer, donde encontramos varios elementos que interesa conocer bien (como siempre, dejando un instante el puntero del ratón sobre un botón se nos informa de su nombre).

- Con el botón Atrás nos desplazamos a la página web que acabamos de visitar; el botón Adelante es similar, aunque el desplazamiento tiene lugar en sentido contrario.

- Cuando empezamos a teclear una dirección, por defecto se activa Autocompletar para ofrecernos las direcciones visitadas cuya dirección comienza por los caracteres introducidos y ahorrarnos algo de trabajo, en caso de que aparezca la que nos interesa en el listado.

- Si queremos visitar otro sitio web, al escribir su dirección en la barra de direcciones debemos tener presente que, si ésta incluye una ruta de acceso tras el dominio principal, que se destaca en negrita, suelen diferenciarse mayúsculas y minúsculas en la ruta. Por ejemplo, se consideran distintas las direcciones `http://www.vicentetrigo.com/galeria.htm` y `http://www.vicentetrigo.com/GALERIA.htm`.

Figura 6.1. Sitio web de Microsoft sobre Windows 8.

- Muchas direcciones de Internet son del tipo **www.nombre.com**. En este caso, para ir a ellas basta escribir **nombre** en la barra de direcciones y pulsar **Control-Intro**.

- A veces aparece un mensaje indicándonos que no se puede mostrar una página web o nos percatamos de que no estamos viendo la versión más reciente de ella. Haciendo clic en el botón **Actualizar** (**F5**), quizás se solucione el problema.

- En cualquier momento podemos regresar directamente a la página inicial sin más que hacer clic en el botón **Página principal** (**Alt-Inicio**).

- Cuando sólo estemos utilizando el ordenador para navegar por Internet, es interesante disfrutar de Internet Explorer a pantalla completa, como sucede en la figura 6.2. Para pasar de la presentación que hemos visto hasta ahora a pantalla completa, o viceversa, sólo debemos pulsar F11 o Alt-Intro. Colocando el puntero en la parte superior de la ventana accedemos a las barras de Internet Explorer.

Figura 6.2. Navegando a pantalla completa.

¿Cómo que barras, en plural, si únicamente está la barra de direcciones? En principio así es, pero Internet Explorer nos permite mostrar otras barras de herramientas, que están ocultas por defecto. Sólo tenemos que hacer clic con el botón secundario del ratón en una zona vacía de la parte superior de su ventana y se abrirá el menú contextual de la figura 6.3. Ahí podemos decidir si mostramos alguna barra más. ¿Interesa hacerlo? Ni sí ni no, sino todo lo contrario. Por ejemplo, si alguna vez necesitamos mostrar la barra de menú, siempre podemos pulsar Alt, como hacíamos con el Reproductor de Windows Media. En cuanto a las barras de favoritos y comandos, sus prestaciones también las tenemos en los botones situados a la derecha de Página principal.

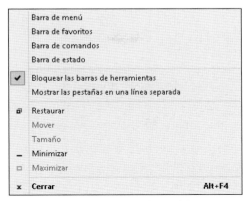

Barra de menú
Barra de favoritos
Barra de comandos
Barra de estado

✓ Bloquear las barras de herramientas
Mostrar las pestañas en una línea separada

Restaurar
Mover
Tamaño
Minimizar
Maximizar

× **Cerrar** Alt+F4

Figura 6.3. Barras disponibles.

Quizás sea la barra de estado la más interesante, porque en su lateral derecho incluye un nivel de zoom, que nos permite ajustar la escala de visión, algo muy importante cuando accedemos a una página web con la letra tan pequeña que debemos forzar la vista para leerla.

Claro que esta funcionalidad también la tenemos en Herramientas. Además, si manteniendo pulsada la tecla Control pulsamos la tecla +, - o 0 ampliamos la visión, la reducimos o la volvemos a su tamaño inicial, respectivamente.

En resumen, todo es cuestión de gustos y la decisión final es tuya.

Algunas páginas web están diseñadas hace tiempo y es posible que no se vean perfectamente ahora. Cuando Internet Explorer detecte esta circunstancia, nos presentará el botón Vista de compatibilidad en la barra de direcciones, a la izquierda de Actualizar. Haciendo clic en Vista de compatibilidad visualizaremos sin problemas el contenido de la página.

LAS DESCARGAS

En muchas páginas web se ofrecen gratuitamente archivos que podemos copiar en nuestro ordenador; por ejemplo, documentos, juegos, vídeos, programas, canciones, etc. ¿Es seguro hacerlo? ¿Qué debemos hacer para descargarlos? Pues la respuesta a ambas preguntas es la misma: depende del tipo de archivo.

Por lo que respecta a la seguridad, Windows 8 protege nuestro equipo de visitantes indeseados, dentro de lo que cabe, pues no existe la protección total. Además, los virus no se difunden en fotos, canciones y vídeos, sino en archivos ejecutables; es decir, descargar una imagen no es peligroso pero sí puede ser arriesgado ejecutar un juego de dudosa procedencia. ¿Aclarada esta cuestión?

En cuanto al procedimiento a seguir para bajar (*download*, en inglés) un archivo a nuestro equipo, es bastante sencillo:

1. Hacemos clic en su enlace con el botón secundario del ratón.

2. En el menú contextual ejecutamos **Guardar destino como**.

3. Seleccionamos la carpeta donde se almacenará. Por defecto es `Descargas`, que siempre está a nuestra disposición en el Panel de navegación.

4. Iremos viendo la evolución de la descarga y, además, se nos indica el tiempo aproximado que falta. En caso de que el proceso se vaya a alargar bastante rato, podemos seguir navegando por otras páginas.

5. Cuando finaliza la descarga, ya podemos utilizar el archivo copiado en nuestro ordenador cuando nos apetezca. Además, Internet Explorer nos oferta la ventana de la figura 6.4, con botones para abrir ahora el archivo bajado o la carpeta donde está alojado, así como ver la lista de nuestras descargas.

Figura 6.4. Archivo descargado.

Si en lugar del procedimiento anterior hacemos clic sobre el enlace de un archivo, Internet Explorer nos muestra en su parte inferior una ventana similar a la figura 6.5, con botones para abrir el archivo, guardarlo o cancelar el proceso. Por ejemplo, si optamos por abrir un archivo pdf, se pondrá en marcha la aplicación Lector para visualizar su contenido.

¿Quieres abrir o guardar **mujeres.pdf** (460 KB) desde **vicentetrigo.com**? | Abrir | Guardar | ▼ | Cancelar | ×

Figura 6.5. Archivo para su descarga.

Algo similar sucede cuando activamos el enlace a un archivo que el Reproductor de Windows Media reconoce, por ejemplo una canción mp3, un vídeo wmv, etc. Si queremos descargar el archivo, basta con pulsar Alt y, en el menú **Archivo**, ejecutar **Guardar como**.

Por lo que respecta a las aplicaciones de escritorio, la norma más recomendable es descargar e instalar sólo aquellas procedentes de sitios fiables y que, además, nos sean de verdadera utilidad. Eso de instalar por instalar sólo acaba causando problemas.

Claro que hay una aplicación que no debería faltar en nuestro equipo: SkyDrive para escritorio, que nos permitirá acceder a nuestro espacio en SkyDrive como si se tratase de una carpeta más de nuestro equipo.

1. En la barra de direcciones escribimos, por ejemplo, SkyDrive de escritorio y, entre el listado que nos oferta Bing, localizamos la página de Microsoft de la figura 6.6. También podemos escribir directamente su dirección: `http://windows.microsoft.com/es-ES/skydrive/download`.

2. Hacemos clic en el botón Descargar SkyDrive y, luego, en Guardar.

3. Abrimos la carpeta `Descargas`, donde está el archivo descargado, y activamos su icono.

4. Se procede a la instalación, que es rápida y sencilla. Cuando termina, se nos abre una carpeta con nuestro espacio SkyDrive.

Figura 6.6. Para descargar SkyDrive.

A partir de este momento, como vemos en la figura 6.7, en el Panel de navegación tenemos un enlace a nuestro espacio en SkyDrive. Para descargar nuestras cosas o subir otras, basta con arrastrar los elementos que deseemos de un lugar a otro. ¡Más cómodo imposible!

Eso sí, hay un detalle muy importante a tener en cuenta: la carpeta de SkyDrive se trata exactamente igual que otra del equipo; es decir, cuando arrastramos algo lo estamos moviendo. Por tanto, si queremos conservar en SkyDrive copia de un elemento de nuestro equipo o viceversa, durante el arrastre debemos mantener pulsada la tecla Control. ¡Que no se te olvide!

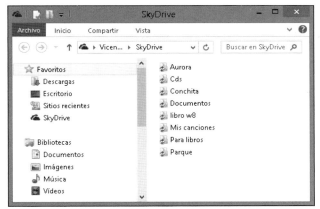

Figura 6.7. Espacio en SkyDrive.

LOS COMPLEMENTOS

A pesar de que Internet Explorer es un excelente navegador hay algunas cosas que no incluye, porque han sido desarrolladas por otras compañías, y es necesario instalarlas para acceder a todo el contenido que está presente en Internet.

En concreto, sólo con Internet Explorer no podemos acceder a la tecnología Java, con la que se crean tantos juegos o aplicaciones interactivas. Así la primera vez que accedamos a uno de estos sitios podemos encontrarnos con un aviso similar al mostrado en la figura 6.8.

¿Y qué significa eso? Pues que esa página web, como muchas otras de Internet, tiene algún componente Java que, en principio, Internet Explorer no reconoce. Para lograr que sí lo haga, necesitamos instalar software Java adicional.

¿Cómo? Muy sencillo, vamos a la página `http://www.java.com/es/` y seguimos las instrucciones que en ella se dan. Básicamente, tendremos que descargar un archivo y, luego, ejecutarlo.

Figura 6.8. La página usa Java.

Una vez finalizada la instalación, cerramos Internet Explorer y, cuando lo abramos, se nos pedirá confirmación para habilitar el complemento, como sucede en la figura 6.9. Si hacemos clic en Habilitar, ya podremos acceder perfectamente al sitio web que tenga componentes Java.

Figura 6.9. Complemento Java.

Al navegar por las páginas web habremos observado que Internet Explorer bloquea las molestísimas ventanas emergentes llenas de publicidad e incluso la instalación de algún archivo o su descarga. Se trata de una medida de seguridad para evitar hipotéticos visitantes indeseados.

Claro que habrá ocasiones donde la página web precisa un determinado complemento para funcionar a la perfección, otras donde los elementos emergentes cumplen un papel esencial, otras en que la descarga de archivos no exige nuestra orden explícita, etc. En todos estos casos, ¿qué hacemos?

Al igual que sucede en la figura 6.10, resulta que Internet Explorer siempre nos avisa de estas situaciones mediante una barra de información inferior. Sólo tenemos que hacer clic en ella y se nos ofrecen opciones para instalar el complemento, descargar un archivo, anular el bloqueo de elementos emergentes, ya sea temporalmente o siempre en ese sitio web, etc.

Figura 6.10. El sitio web precisa un complemento.

Por ejemplo, si en barra informativa de la figura 6.10 hacemos clic en **Permitir**, se ejecuta el complemento en la página web. Desplegando la flecha de su derecha, se nos brinda la posibilidad de que sea válido para todas.

Los complementos instalados, Java incluido, funcionarán en Internet Explorer para escritorio, pero no tienen efecto en la versión de la pantalla Inicio.

Eso de ir de una página web a la anterior, a la siguiente o a otra cualquiera, está bien, pero resulta un procedimiento poco operativo en la práctica, porque muchas veces nos interesa consultar una página mientras estamos en otra y no queremos cerrarla.

Si la página que nos interesa abrir es destino de un enlace, siempre podemos mostrarla en otra ventana sin más que mantener pulsada la tecla Mayús cuando hacemos clic en el enlace. También conseguimos el mismo efecto desplegando el menú contextual del enlace y ejecutando **Abrir vínculo en una nueva ventana**.

De todas formas este sistema no deja de ser un apaño y, por eso, Internet Explorer nos ofrece otra modalidad de navegación mucho más atractiva y cómoda, ya que sus pestañas nos permiten tener abiertas múltiples páginas en una única ventana, como ocurre en la figura 6.11.

Figura 6.11. Varias páginas abiertas en una ventana.

Las páginas abiertas desde una misma página conforman un grupo y las pestañas de cada grupo tienen un mismo color para diferenciar los grupos visualmente.

Internet Explorer nos brinda varias posibilidades para abrir una página web directamente en una nueva pestaña.

- Si hacemos clic sobre un enlace manteniendo pulsada la tecla Control, la página de destino se abre en una nueva pestaña, siguiendo en primer plano la página actual. ¿Y si queremos que la página de destino sea la del primer plano? Entonces, pulsaremos Control-Mayús mientras hacemos clic en el enlace.

- Si, tras escribir una dirección en la barra de direcciones, pulsamos Alt-Intro, la página indicada se abre en una pestaña nueva, en primer plano.

- Si nos interesa duplicar la página actual, sólo tenemos que pulsar Control-K o desplegar el menú contextual de su pestaña y ejecutar **Duplicar pestaña**.

También nos puede interesar crear una pestaña en blanco, donde luego escribiremos la dirección que deseemos visitar. De nuevo tenemos varias opciones:

- Pulsar Control-T.
- Hacer clic en el botón Nueva pestaña.
- Desplegar el menú contextual de la pestaña actual y ejecutar **Nueva Pestaña**.

Como observamos en la figura 6.12, al crear una nueva pestaña se nos muestran las páginas web que visitamos con mayor frecuencia, por si queremos acceder fácilmente a una de ellas. Además, debajo tenemos enlaces para listar las pestañas cerradas desde el inicio de la sesión en Internet Explorer y así recuperar cualquiera de ella rápidamente o volver a abrir la última sesión de exploración, si hemos cerrado Internet Explorer por descuido. ¿Y qué es eso de InPrivate que aparece junto a esos enlaces? Dentro de un rato lo comentaremos, no te preocupes.

Figura 6.12. Una nueva pestaña.

Y cuando tenemos varias páginas abiertas en una misma ventana, ¿cómo pasamos de una a otra?

- Cuando son pocas las páginas, lo más sencillo es hacer clic en la pestaña que nos interesa.

- Pulsando la combinación Control-Tab nos vamos desplazando por las diferentes páginas de la ventana. La combinación Control-Mayús-Tab hace lo mismo, pero en orden inverso.

- Sabiendo la posición de cada pestaña, podemos ir directamente a una de ellas con Control-*n*, siendo *n* un número comprendido entre 1 y 8; Control-9 nos lleva a la última pestaña.

Para cerrar páginas web abiertas en una misma ventana, Internet Explorer también nos ofrece diversas alternativas:

- Haciendo clic en el botón Cerrar pestaña (la equis situada en el lateral derecho de la pestaña) cerramos la pestaña actual. Lo mismo conseguimos con Control-W.

- En ocasiones, desearemos justo lo contrario: quedarnos con la página actual y cerrar todas las demás. Para ello, ejecutamos **Cerrar las otras pestañas** del menú contextual de la pestaña o pulsamos Control-Alt-F4.

- Si la página forma parte de un grupo, también es posible cerrar solamente ese grupo, con **Cerrar este grupo de pestañas** del menú contextual de su pestaña.

- Finalmente, al intentar cerrar la ventana de Internet Explorer se nos pregunta si queremos cerrar todas las pestañas o sólo la actual.

Por último, detengámonos un momento en la página principal; es decir, en la página web que abre Internet Explorer cuando lo iniciamos o hacemos clic en el botón Página principal. Bueno, en realidad la denominación no es del todo correcta, porque al ejecutar Internet Explorer se pueden abrir varias pestañas y, por tanto, mostrar varias páginas, no una única.

Si queremos realizar algún cambio en nuestra página principal, desplegamos el menú contextual del botón Página principal y ejecutamos **Agregar o cambiar la página principal**, que nos ofrece las tres opciones siguientes:

- **Usar esta página web como la única página principal** coloca la página web que estamos viendo como página principal.

- **Agregar esta página web a las pestañas de página principal** añade la página web actual a las pestañas que conforman la página principal.

- **Usar el conjunto actual de pestañas como página principal** sustituye la página principal por las páginas web abiertas.

La página principal que hayamos establecido en Internet Explorer para escritorio se aplica automáticamente también a la aplicación Internet Explorer de la pantalla Inicio.

LAS BÚSQUEDAS

Durante la navegación por Internet, podemos utilizar la barra de direcciones para acceder a Bing, el buscador de Microsoft, y, de esta forma, realizar búsquedas sin necesidad de visitar la página del buscador (Control-B nos lleva directamente ahí).

Basta escribir cualquier criterio de búsqueda e Internet Explorer nos presenta las páginas encontradas, bien sustituyendo a la página web anterior (si hemos pulsado Intro) o en una nueva pestaña (si pulsamos Alt-Intro).

¿Y qué tal buscador es Bing? Pruébalo un poco y decide... No, lo sentimos, no podemos detenernos en explicar cómo buscar en Internet porque ya quedan muy poquitas páginas y todavía quedan cosas muy importantes por ver.

Ahora, sólo vamos a ver la forma de cambiar el buscador predeterminado, porque mucha gente está acostumbrada a otros, y no es cuestión de obligarlas a utilizar Bing, salvo que les apetezca hacerlo.

Para realizar este cambio sólo tenemos que hacer lo siguiente:

1. Hacemos clic en el botón Herramientas o pulsamos Alt-X.

2. Ejecutamos **Administrar complementos** y nos dirigimos a la sección **Proveedores de búsquedas**, que vemos en la figura 6.13.

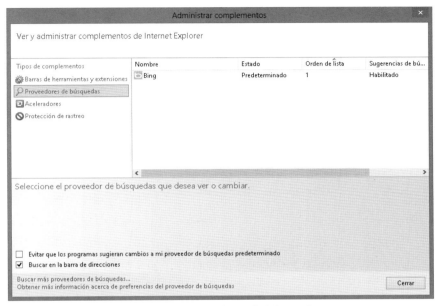

Figura 6.13. Proveedores de búsquedas.

3. Activamos el enlace inferior **Buscar más proveedores de búsquedas** y accederemos a una página web de Microsoft donde hay varios proveedores de búsqueda (Google, Wikipedia, Yahoo!, eBay, etc.).

4. Localizamos el que nos interese y hacemos clic en él.

5. En la siguiente página, hacemos clic en Añadir a Internet Explorer.

6. En la ventana de la figura 6.14, hacemos clic en Agregar. Si deseamos que ese buscador sea el predeterminado, previamente activamos la primera casilla.

7. Repetimos los tres pasos anteriores si queremos añadir más buscadores.

A partir de este momento, y hasta que volvamos a cambiarlo, nuestras búsquedas en la barra de direcciones tendrán lugar con el buscador predeterminado.

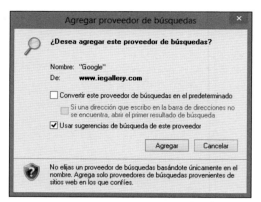

Figura 6.14. Agregar proveedor de búsquedas.

¿Y cómo lo cambiamos si no nos convence? Volviendo a la ventana de la figura 6.13. Ahí seleccionamos nuestro preferido y hacemos clic en **Predeterminado**.

En el momento de escribir estas líneas, los buscadores de Google y Yahoo! sólo se ofertan como predeterminados en inglés.

Al igual que sucede con la introducción de direcciones, conforme escribimos nuestro criterio de búsqueda Internet Explorer nos presenta diversas sugerencias, para facilitarnos el trabajo. Además, como vemos en la figura 6.15, en la parte inferior se incluyen los iconos de los proveedores de búsqueda que tenemos seleccionados y, sin más que hacer clic en uno de ellos, accedemos a los resultados que encuentra ese proveedor.

Tras introducir como criterio de búsqueda unas determinadas palabras resulta que acabamos llegando a una página web y, a veces, no siempre localizamos en ella dichas palabras a simple vista, especialmente si hay mucho texto en la página web.

Siempre podemos leerla detenidamente, desde luego, pero eso lleva su tiempo y, encima, muchas veces no nos interesa todo su contenido.

Figura 6.15. Búsqueda con sugerencias.

En estas ocasiones, con **Control-F** aparece la barra de búsqueda, bajo la barra de direcciones, como vemos en la figura 6.16. Con ella realizamos búsquedas sólo en la página web actual, resaltándose las apariciones del texto introducido. Cuando terminemos de utilizar esta nueva barra, podemos cerrarla si nos apetece.

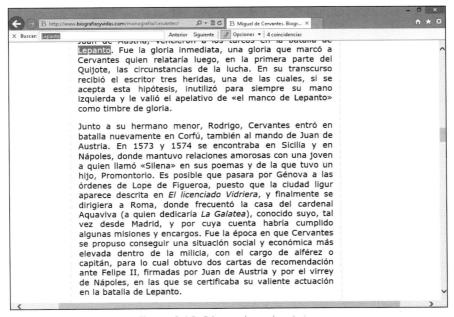

Figura 6.16. Búsqueda en la página.

CONSERVAR LAS PÁGINAS

En nuestros paseos por Internet tarde o temprano acabaremos encontrando páginas web con diversos elementos que nos gustaría conservar. Por ejemplo, es seguro que nos apetecerá guardar más de una fotografía, pero también nos puede interesar almacenar páginas web completas o imprimirlas.

Así, cuando estemos visitando una página web donde haya alguna fotografía o imagen que nos gustaría copiar en nuestro equipo, sólo tenemos que desplegar su menú contextual y ejecutar uno de los comandos siguientes:

- **Guardar imagen como** la copia en la carpeta que indiquemos (por defecto en `Imágenes`).

- **Establecer como fondo** la coloca como fondo de nuestro escritorio.

- **Copiar** la copia en memoria y luego podemos pegarla en cualquier aplicación o carpeta.

Si la ventana de Internet Explorer no está maximizada, al arrastrar una imagen de Internet a cualquier carpeta, la copiamos en ella.

A veces, al pulsar un enlace se accede a una página web que sólo muestra una imagen. Si ésta es de gran tamaño, Internet Explorer automáticamente ajusta su escala para que la visualicemos completa en pantalla; haciendo clic en ella, se presenta a su tamaño real y, con un nuevo clic, volvemos a la visión ajustada a la ventana. Eso sí, aunque estemos viendo la imagen reducida, cuando la guardemos se almacenará a su tamaño real.

*Recordemos que si copiamos texto de una página web para conservarlo en un documento, siempre debemos hacerlo con **Pegado especial**.*

Otra operación muy común al navegar por Internet es guardar completas las páginas web que nos apetece conservar. ¿Y qué utilidad tiene eso? Pues bastante, en serio. Las páginas web no son eternas y muchas desaparecen tras pocos días o meses y, luego, no hay forma de acceder a la información que hubiera en ella.

Cuando deseemos guardar la página web que estamos visitando, en Herramientas ejecutamos **Archivo** y, luego, **Guardar como**… aunque resulta mucho más rápida la combinación Control-S.

En el cuadro de diálogo de la figura 6.17, cambiamos el nombre del archivo o la carpeta de destino, si lo consideramos oportuno, y, sobre todo, seleccionamos el tipo más adecuado:

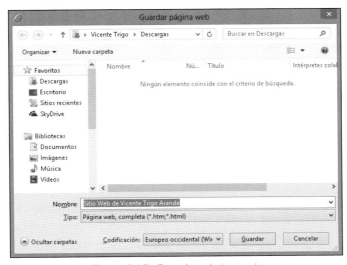

Figura 6.17. Guardar página web.

- Página web, completa. Crea dos nuevos elementos: un archivo con el documento html y una carpeta, con el mismo nombre del archivo más el sufijo _archivos_, que contiene los demás elementos de la página: fondo, sonido, imágenes, etc.

- Página web, sólo HTML. Como el anterior, pero omitiendo la carpeta.

- Archivo de texto. Sólo guarda el texto de la página web.

- Archivo web, archivo único. Conserva toda la página web en un único archivo mht, por lo que resulta la elección más cómoda y recomendable de las cuatro.

Por último, habrá momentos en que desearemos obtener una copia en papel de una página web, para conservar los datos que nos suministra el servidor si acabamos de suscribirnos o de comprar algo, por ejemplo.

Para evitar la pérdida inútil de papel y tiempo, antes de imprimir siempre es recomendable obtener una vista previa de qué vamos a imprimir, como en la figura 6.18. Para ello, en Herramientas ejecutamos **Imprimir** y, después, **Vista previa de impresión**.

- Mediante los botones Vertical y Horizontal decidimos la orientación de impresión.

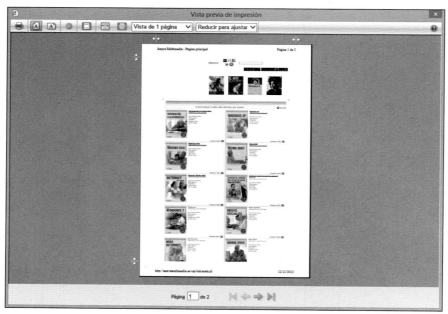

Figura 6.18. Vista previa de impresión.

- El botón Ver Ancho total amplia la visión al ancho de la ventana; en cambio, Ver Página completa la ajusta para que se vea toda la página.

- Si al imprimir la página web se generan varias páginas impresas, podemos visualizar varias páginas simultáneamente, con el campo **Vista de 1 página**. Además, los controles inferiores nos permiten desplazarnos entre las vistas de las páginas impresas.

- En el cuadro **Reducir para ajustar** se nos ofrecen diversos porcentajes de escala para ajustar el contenido de la página web a la página impresa.

- Los marcadores laterales Ajustar al margen nos permiten fijar, sin más que arrastrarlos, los márgenes que se van a dejar en la impresión.

- En principio, se imprime el nombre del sitio y el número de página (en la parte superior) y su dirección y la fecha (en la parte inferior). Con el botón Activar y desactivar encabezados y pies de página ocultamos esta información o la volvemos a mostrar.

- El botón Configurar página abre un cuadro de diálogo donde podemos elegir otro tamaño de papel, establecer con mayor exactitud los márgenes, modificar los textos del encabezado y pie de página, etc.

Cuando todo esté a nuestro gusto, con el botón Imprimir de la vista previa de impresión iniciamos la impresión de la página web.

Los favoritos

Durante nuestros paseos por Internet, iremos encontrando páginas web muy interesantes y, lógicamente, no es cuestión de memorizar su dirección para volver a ellas otro día, ¿verdad?

Como Internet Explorer está en todo, nos permite conservar nuestros sitios web favoritos en una carpeta personal, que se llama precisamente, `Favoritos`.

Cuando deseemos añadir la página web que estamos visitando a nuestra lista de páginas favoritas, hacemos clic en el botón Favoritos y, luego, en **Agregar a Favoritos**. Se abre el cuadro de diálogo de la figura 6.19, al que también accedemos directamente con Control-D. Ahí podemos cambiar su nombre, en caso de que el título de la página web no sea descriptivo de su contenido.

También podemos añadir a Favoritos todas las páginas que tenemos abiertas en diversas pestañas. En este caso, hacemos clic en la flecha situada a la derecha de **Agregar a Favoritos** y ejecutamos **Agregar pestañas actuales a Favoritos**. Todas las direcciones se guardarán en una carpeta, cuyo nombre debemos escribir.

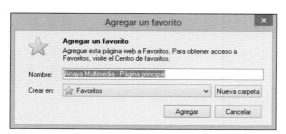

Figura 6.19. Agregar un favorito.

Las direcciones fijadas como favoritas en Internet Explorer para escritorio automáticamente lo son también para la aplicación Internet Explorer de la pantalla Inicio.

Más adelante, cuando queramos volver a visitar una página web que hayamos agregado a Favoritos, sólo tenemos que hacer clic en Favoritos y se desplegará un panel con la lista de nuestras páginas web favoritas (lo mismo conseguimos con Control-I). Seleccionamos la que nos interesa e, instantes después, estaremos viéndola.

Al principio nuestra relación de direcciones favoritas será breve y resultará sencillo localizar una en concreto. Sin embargo, cuando pase algo de tiempo, la lista habrá aumentado tanto que, sin algún tipo de organización, resulta engorroso encontrar la que andamos buscando.

Lo usual, para gestionar las direcciones favoritas, es crear carpetas donde se agrupen por temas. Por ejemplo, podemos tener en una carpeta las direcciones favoritas sobre cine, en otra las relativas a música, etc.

Para estructurar de una forma ordenada nuestras páginas web favoritas, hacemos clic en Favoritos y, en la flecha de **Agregar a Favoritos**, ejecutamos **Organizar Favoritos**. Abrimos de esta forma el cuadro de diálogo de la figura 6.20.

Figura 6.20. Organizando Favoritos.

- Nueva carpeta nos permite crear una nueva carpeta, dentro de Favoritos o de la carpeta donde estemos en ese momento (para abrir una carpeta basta con hacer clic en su nombre).

- Mover nos facilita el llevar uno o varios elementos a otra carpeta, que debemos indicar en el cuadro de diálogo que se abre. De todas formas, resulta más cómodo arrastrar el elemento a su nueva ubicación.

- **Cambiar nombre** y **Eliminar** nos dan la oportunidad de renombrar y suprimir el elemento seleccionado. Si lo deseamos, podemos efectuar estas operaciones de la misma forma que si fuesen iconos (con **F2** y **Supr**, respectivamente).

Si tenemos interés por acceder a la carpeta Favoritos, *sólo tenemos que abrir nuestro disco duro local y entrar en* Usuarios. *En la carpeta con nuestro nombre se ubican nuestras carpetas personales, entre ellas* Favoritos.

Por último, el historial de Internet Explorer guarda enlaces a las páginas web visitadas recientemente. ¿Y para qué sirve eso? Pues para regresar a una página web que ya hemos visitado... y de la que no recordamos su dirección ni se nos ocurrió añadirla a Favoritos.

Si pulsamos **Control-H** o, tras hacer clic en el botón **Favoritos**, vamos a la ficha **Historial**, en el lateral se muestra un panel donde están agrupadas las direcciones de las páginas que hemos visitado hoy, la semana pasada, etc., y sólo tenemos que hacer clic en un grupo concreto para ver su contenido.

Además, desplegando la flecha situada en la parte superior del panel, como sucede en la figura 6.21, se nos ofrecen opciones para agrupar las páginas de otra forma o buscar alguna directamente si recordamos parte de su dirección.

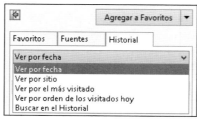

Figura 6.21. Organizando Historial.

LOS ACELERADORES

¿Verdad que resultaría cómodo que tras localizar una determinada dirección la pudiésemos ubicar rápidamente en el mapa, como sucede en la figura 6.22? ¿O averiguar la traducción de una palabra en otro idioma? Para ahorrarnos trabajo, Internet Explorer incluye los llamados aceleradores, que son pequeñas aplicaciones de diferentes sitios web que nos permiten compartir contenidos y, de esta forma, nos evitamos el tener que desplazarnos por varios lugares.

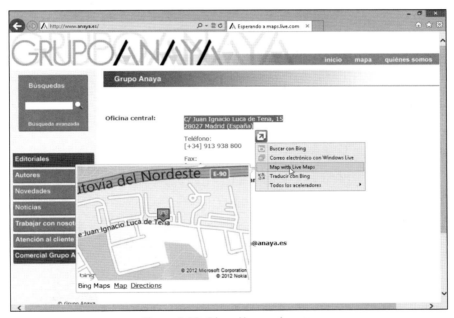

Figura 6.22. Dirección en el mapa.

Por ejemplo, si en una página web seleccionamos una palabra (con un doble clic) o varias (arrastrando el ratón), nos aparece automáticamente el icono azul de los aceleradores y, haciendo clic sobre él, desplegamos los aceleradores instalados, al igual que sucede en la figura 6.23. También los tenemos disponibles en el menú contextual de la selección.

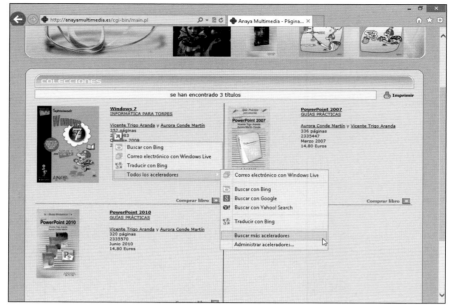

Figura 6.23. Aceleradores.

En principio el acelerador de la figura 6.22 no aparece entre los ofertados en la figura 6.23. Entonces, ¿de dónde ha salido? De Internet, claro está.

1. Hacemos clic en **Todos los aceleradores** y, luego, en **Buscar más aceleradores** (opción señalada en la figura 6.23).

2. Se abre la galería online de aceleradores y nos damos un paseo por ella, para averiguar qué aceleradores nos oferta.

3. Cuando alguno nos interese, hacemos clic sobre él y, en la siguiente página, en Añadir a Internet Explorer. Después, en la ventana de la figura 6.24, activamos la casilla si deseamos que ese proveedor sea el predeterminado para ese tipo de acelerador (aparecerá junto a los iniciales) y hacemos clic en Agregar.

Como es lógico, podemos repetir el procedimiento anterior para añadir más aceleradores a Internet Explorer.

Más adelante, cuando elijamos un acelerador tras seleccionar un texto, se abrirá directamente su página. No obstante, si tiene la vista previa habilitada, basta colocar el puntero sobre él para que nos muestre una vista preliminar (como ocurría en la figura 6.22).

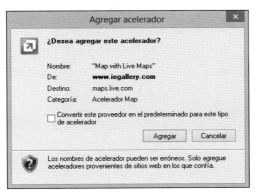

Figura 6.24. Agregar acelerador.

Los aceleradores de Internet Explorer para escritorio no están operativos en la versión de la pantalla Inicio.

SEGURIDAD ANTE TODO

En determinadas ocasiones accedemos a Internet desde un ordenador que no es nuestro, por ejemplo, en un cibercafé o en casa de un familiar. Si, para proteger nuestra intimidad, no queremos dejar rastro de nuestro paseo en el equipo, Internet Explorer nos brinda la exploración InPrivate, que nos permite navegar sin guardar el historial, las cookies, etc.

¿Y cómo navegamos sin dejar huellas? Como siempre, tenemos diversas alternativas:

- Crear una nueva pestaña y, bajo las referencias a las páginas que más visitamos, está el enlace **Exploración de InPrivate**, que debemos activar.

- En el botón Herramientas vamos a **Seguridad** y, ahí, a **Exploración de InPrivate**.

- Pulsar Control-Mayús-P.

Por cualquiera de esos caminos, abrimos la ventana de la figura 6.25 donde ya podemos navegar como siempre… y todo nuestro rastro desaparece del equipo al cerrar la ventana de Internet Explorer.

Figura 6.25. Exploración InPrivate.

Uno de los fraudes que, de vez en cuando, se pretenden realizar en Internet es el llamado phishing. ¿Y en qué consiste? Ya sea mediante un mensaje de correo electrónico o a través de un sitio web, se simula un comunicado de una empresa de confianza (entidad financiera, compañía de tarjetas de crédito, etc.), que nos pide la introducción de nuestros datos personales, presuntamente para corregir alguna vulnerabilidad del sistema, comprobar su base de datos, etc.

Ya imaginarás que nada de eso es cierto. Una vez que disponen de nuestros datos, suplantan nuestra personalidad en el ciberespacio y dejan nuestra cuenta en números rojos.

Las populares galletitas (eso es precisamente lo que significa la palabra inglesa cookies) son unos pequeños archivos de texto que almacenan variada información: las preferencias al visitar determinado sitio web, datos del equipo, características personalizadas, etc.

Por ejemplo, cuando en una página web que visitamos con asiduidad nos permiten configurar la información meteorológica, para que al entrar en ella aparezca la predicción del tiempo en nuestra ciudad, ese dato se almacena en una cookie. De la misma forma, cuando nos suscribimos a algún servicio y nada más entrar en él nos aparece un saludo personalizado, es porque se conserva una cookie con nuestro nombre.

Eso sí, cada cookie del equipo sólo puede leerla el sitio web que la creó.

Para evitar este fraude, Internet Explorer incorpora el filtro SmartScreen que analiza si la dirección donde queremos ir aparece o no en su lista de sitios peligrosos, que se actualiza frecuentemente, avisándonos en caso afirmativo.

Además, el filtro SmartScreen también comprueba que el sitio no contiene software malintencionado que pueda dañar nuestro ordenador y, asimismo, nos informará cuando intentemos descargar software potencialmente peligroso.

¡Magnífico! ¿No? Desde luego, es una buena medida de seguridad… pero a cambio de perder intimidad, pues es evidente que nos siguen los pasos para saber por dónde navegamos. ¿Qué es preferible, máxima seguridad o máximo anonimato? La elección, como siempre, es tuya.

Si en el botón Herramientas, seleccionamos **Seguridad***, en la parte inferior del menú que se despliega tenemos opciones para comprobar el sitio web visitado, desactivar o activar el filtro SmartScreen y notificar a Microsoft que el sitio no es seguro.*

Cuando navegamos por Internet de la forma habitual (es decir, sin exploración InPrivate), las páginas web que visitamos se van guardando en una carpeta del disco duro (`Temporary Internet Files`, archivos temporales de Internet), para que podamos verlas sin necesidad de establecer conexión con el servidor que la aloja. De esta forma, se gana en rapidez, aunque, eso sí, las páginas no estarán actualizadas.

Sin embargo, en ocasiones, nos interesará borrar los archivos temporales, para liberar el espacio que ocupan, o el historial, para que nadie sepa las direcciones de los sitios visitados.

Estas acciones, y otras más, se llevan a cabo en el cuadro de diálogo de la figura 6.26, que abrimos con **Opciones de Internet** del botón Herramientas.

- La sección **Página principal** nos ofrece un nuevo camino para cambiar la página principal.

- Con el botón Configuración de la sección **Historial de exploración** se abre un nuevo cuadro de diálogo donde tenemos opciones para configurar a nuestro gusto los archivos temporales y variar el espacio reservado en el disco duro para alojarlos; además, en **Historial**, podemos modificar el número de días que Internet Explorer guarda la lista de direcciones visitadas que, por defecto, es veinte.

Figura 6.26. Opciones generales de Internet.

- El botón **Eliminar** de la sección **Historial de exploración** de la figura 6.26, nos brinda la posibilidad de borrar los archivos temporales de Internet, las cookies, el historial, los datos introducidos en formularios, las contraseñas, etc. Cuando accedamos a Internet desde un ordenador público y, por despiste no hayamos utilizado la exploración InPrivate, es muy conveniente eliminar todo, absolutamente todo, para salvaguardar al máximo nuestra intimidad.

Sistema
y seguridad

Al igual que nuestro coche necesita una puesta a punto de vez en cuando para funcionar a la perfección, también resulta aconsejable hacer algo similar con nuestro ordenador, que es una máquina mucho más complicada.

No, no es preciso trasladar el equipo al servicio técnico, ni mucho menos. Como Windows 8 está en todo, nos facilita un conjunto de aplicaciones de configuración y herramientas con las que es bastante sencillo mantener nuestro ordenador en perfecto estado.

Tampoco te preocupes de antemano pensando que los aspectos técnicos no son lo tuyo. Las cuestiones complejas las dejamos para especialistas, sin ningún rubor, y nos vamos a centrar únicamente en las herramientas que la mayoría de la gente puede necesitar en algún momento. Volviendo al ejemplo del coche, nos dedicaremos a las acciones más comunes: repasar los niveles de agua y aceite, mirar las ruedas, cerrar las puertas, limpiar el parabrisas, etc.

Mediante los cuidados que veremos en este capítulo, lograremos fácilmente que nuestro equipo funcione mucho mejor y, además, esté seguro y protegido, algo todavía más importante si cabe.

Como siempre, sabiendo qué deseamos utilizar en un determinado momento, podemos encontrarlo sin más que acudir a **Configuración** del acceso **Buscar** o pulsar Windows-W.

No obstante, por razones expositivas, a lo largo del texto aludiremos a la categoría **Sistema y seguridad** del Panel de control, mostrada en la figura 7.1, puesto que en ella están las herramientas que vamos a tratar en este capítulo.

Recordemos que para abrir el Panel de control podemos ir al acceso **Configuración** *(Windows-I) y, en su parte superior, activar* **Panel de control**; *otra alternativa es localizarlo con el acceso* **Buscar**. *Una vez abierto, activando su primer enlace,* **Sistema y seguridad**, *pasamos a la ventana de la figura 7.1.*

Figura 7.1. Seguridad y sistema en el Panel de control.

HERRAMIENTAS ADMINISTRATIVAS

Cuando nuestro disco duro esté bastante lleno, desearemos ganar espacio como sea para poder seguir trabajando con él. Una buena opción es eliminar todo lo innecesario que haya por el disco duro; por ejemplo, los archivos de nuestros paseos por Internet, los contenidos en la Papelera de reciclaje, los temporales que crean algunas aplicaciones y luego olvidan suprimir, etc.

Para que no tengamos que perder tiempo borrando estos elementos manualmente, lo que, además, podría ser motivo de algún error fatal, Windows 8 incorpora una herramienta que nos permite dejar el máximo de espacio libre en un único paso: Liberar espacio en disco.

Accedemos a ella sin más que activar el enlace **Liberar espacio en disco** en la sección **Herramientas administrativas** de la figura 7.1.

Una vez puesta en marcha, la herramienta hace un rápido repaso del contenido del disco duro para ver qué cosas son prescindibles y muestra un cuadro de diálogo similar al de la figura 7.2, en cuya parte superior nos indica el máximo espacio que puede liberarse en el disco... aunque no siempre nos interesará quitar todo cuanto sea posible.

Figura 7.2. Liberar espacio en disco.

Para eliminar los archivos de un apartado, activamos la casilla correspondiente; conforme lo vayamos haciendo, veremos el espacio que se recuperará. Eso sí, debemos leer primero detenidamente la descripción que Windows 8 ofrece de cada apartado y no liarnos a eliminar de cualquier manera, porque podemos despistarnos y suprimir algo que nos interese conservar.

Cuando hayamos seleccionado los archivos que deseemos suprimir, hacemos clic en **Aceptar** y, tras confirmar que estamos de acuerdo con su borrado, dispondremos de algo más de espacio en el disco duro.

Windows 8 nos ofrece otra alternativa para activar Liberar espacio en disco. En el Panel de navegación localizamos la unidad que nos interesa, desplegamos su menú contextual de la unidad y ejecutamos **Propiedades***; luego, sólo tenemos que hacer clic en* Liberar espacio *de la ficha* **General***, donde también podemos observar el espacio libre actual.*

Supongamos que una persona adoptase el siguiente sistema para escribir, que, ciertamente, es bastante peculiar. Posee un rollo muy grande de papel y comienza a escribir siempre por el primer hueco que encuentra libre.

En principio, el sistema no parece nada estrafalario, ¿verdad? Pero, ¿qué sucede si esa persona tiene la costumbre de borrar textos que ya no le interesan? Quedarán huecos desperdigados por todo el rollo y, si escribe después, parte estará al principio del rollo, luego continuará más adelante y, así, hasta que termine su nuevo escrito. Es evidente que se conserva el texto, pero su lectura resultará incómoda y lenta, ¿no crees?

¿Y qué tiene que ver todo esto con Windows 8? Pues mucho, en serio, porque el ordenador almacena la información en el disco duro de una manera similar al sistema de escritura anterior. Por tanto, si tenemos por costumbre borrar muchas cosas e instalar nuevos programas, es muy posible que las diversas partes de algunos archivos, especialmente si son grandes, estén bastante separadas y eso ralentizará su lectura.

Una nueva herramienta, Desfragmentar y optimizar las unidades, se encarga precisamente de reorganizar los datos fragmentados, para conseguir que el disco duro funcione más eficientemente. Como esta tarea es tan importante, la herramienta está programada para que se ejecute automáticamente una vez a la semana, sin que nos demos cuenta apenas, porque podemos seguir utilizando el equipo durante el proceso. No obstante, podemos cambiar dicha programación e, incluso, ejecutarla de forma manual en un momento dado.

En principio su configuración inicial resulta adecuada pero, ya que todo es cuestión de gustos, veamos cómo podemos modificarla. Para ello, activamos el enlace **Desfragmentar y optimizar las unidades** en la sección **Herramientas administrativas** de la figura 7.1; de este modo, abrimos la ventana de la figura 7.3.

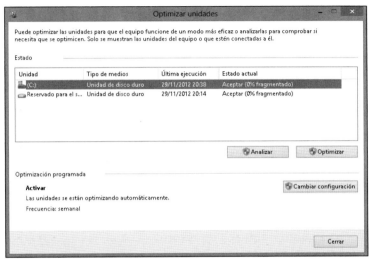

Figura 7.3. Desfragmentar y optimizar las unidades.

- El botón Cambiar configuración abre otro cuadro de diálogo donde podemos fijar la frecuencia de la optimización.

- Analizar nos informa, tras una breve espera, de si es necesario optimizar la unidad seleccionada. Si la fragmentación es superior al 10% es muy recomendable hacerlo.

- Optimizar inicia el proceso de desfragmentación inmediatamente.

Al igual que sucedía con la anterior herramienta, también podemos encontrar esta nueva, Desfragmentar y optimizar las unidades, en **Propiedades** del menú contextual de la unidad que nos interese, con la diferencia de que ahora debemos ir a la ficha **Herramientas**, mostrada en la figura 7.4, donde haremos clic en el botón Optimizar.

Figura 7.4. Propiedades del disco local.

Si observamos con atención la sección superior de la figura 7.4, comprobaremos que su nombre es **Comprobación de errores**. ¿Es que puede cometer errores un ordenador? ¡Desde luego que sí!

A veces sucede que algún programa se arma un pequeño lío y se producen errores al almacenar los datos, que son los llamados errores lógicos; por ejemplo, que una misma zona del disco duro esté asignada a dos archivos diferentes o que aparezca como ocupada cuando, en realidad, no lo está. No, no es que el ordenador se vuelva tarumba de repente o que coja una depresión por falta de cariño. El motivo es más prosaico. Diseñar un programa complejo es un trabajo bastante peliagudo y, como esta labor todavía la realizan seres humanos, no es extraño que aparezca algún gazapo de vez en cuando.

También es posible que el disco duro tenga algún error físico en su superficie, especialmente si nos dedicamos a pegarle patadas cada vez que el equipo no cumple nuestros deseos al pie de la letra... y es que no debemos olvidar nunca que el ordenador se limita a hacer aquello que le ordenamos que haga, no lo que deseamos que haga. ¡Tenlo siempre presente!

Volviendo a las cuestiones prácticas, ¿hay alguna forma de reparar una unidad? Claro que sí; para corregir los errores lógicos de un disco y paliar en parte los físicos (estos últimos son bastante infrecuentes, no te preocupes), podemos hacer lo siguiente:

1. Cerramos todos los archivos que estuvieran abiertos.

2. Abrimos la ficha **Herramientas** de la figura 7.4 y hacemos clic en el botón Comprobar.

3. Normalmente se nos mostrará el cuadro de diálogo de la figura 7.5, indicándonos que no hay errores. No obstante, si queremos asegurarnos con mayor certeza, sólo tenemos que hacer clic en Examinar unidad.

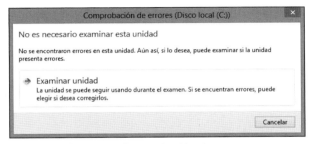

Figura 7.5. Comprobación de errores.

Windows 8 comprueba todo una vez más, lo que puede llevarle un buen rato. La siguiente vez que se reinicie el equipo, se encargará de arreglar los posibles desperfectos que pudiera haber.

RESTAURAR

Hay ocasiones en que, tras instalar un programa o un controlador, las cosas no marchan como se esperaba y se monta un lío de mucho cuidado. En estos casos, normalmente es suficiente con desinstalar lo que acabamos de instalar y asunto solventado, pero, ¿y si no se soluciona el problema? Entonces es aconsejable acudir a Restaurar sistema.

¿Y en qué consiste esta herramienta? Restaurar sistema controla los cambios que van teniendo lugar en el equipo y almacena automáticamente la configuración en determinados momentos, los llamados puntos de restauración. Gracias a ellos podemos, en caso de problema grave en el equipo, regresar a una situación anterior, sin perder ninguno de nuestros datos personales (documentos, fotografías, correo, etc.). Muy interesante, ¿no crees?

Resumiendo. Si, por el motivo que sea, el equipo está funcionando peor que antes, una de las primeras medidas que se suelen tomar es restaurar el sistema a un estado anterior donde todo marchaba a la perfección. ¿Y cómo se hace? Vamos con ello.

Un camino para acceder a Restaurar sistema es activar el enlace de la sección **Sistema** del Panel de control, en la figura 7.1. Abrimos de esta forma una ventana análoga a la mostrada en la figura 7.6, donde se nos presenta información básica acerca del equipo.

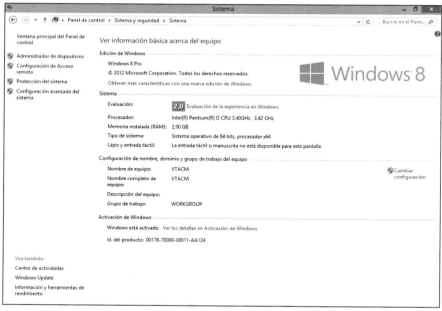

Figura 7.6. Sistema.

Entre otras cosas se nos indica qué versión de Windows 8 tenemos instalada, la puntuación asignada al sistema en función de sus capacidades, el nombre del equipo (con un enlace para cambiarlo), etc. En la parte inferior es donde activamos Windows tras su instalación.

Sin embargo, lo que nos interesa ahora es el lateral izquierdo de la ventana. En concreto activaremos el enlace **Protección del sistema**, que nos abre el cuadro de diálogo de la figura 7.7, al cual tendremos que acudir tanto para restaurar el sistema como para crear puntos de restauración.

Figura 7.7. Protección del sistema.

*Un atajo para llegar al cuadro de diálogo de la figura 7.7 es ir al acceso **Buscar** e introducir como criterio de búsqueda restauración.*

Una vez ahí, el procedimiento a seguir para restaurar el sistema a un punto anterior es bastante sencillo:

1. Hacemos clic en Restaurar sistema.

2. En la ventana inicial se nos recuerda que nuestros archivos personales no se verán afectados durante el proceso. Hacemos clic en Siguiente.

3. Se nos recomienda una opción de restauración y, como vemos cuándo se creó, decidimos si nos interesa o no. En este último caso, activamos **Mostrar más puntos de restauración** y accedemos a un listado con los últimos puntos de restauración, similar al de la figura 7.8.

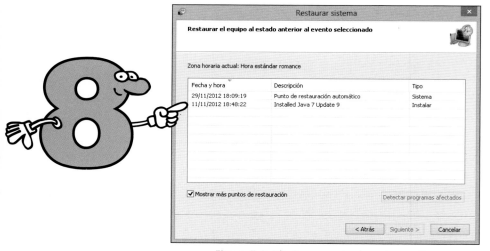

Figura 7.8. Elegir un punto de restauración.

4. Una vez seleccionado un punto de restauración, hacemos clic en Siguiente y, luego, en Finalizar. Después de reiniciarse el equipo, tendremos nuestro sistema tal y como estaba en el momento correspondiente al punto de restauración.

Si restauramos el equipo a un punto anterior a la instalación de un determinado programa, los datos que hayamos creado con él se conservarán, pero el programa no funcionará y deberemos reinstalarlo.

Si bien Windows 8 establece puntos de restauración de forma automática al instalar cosas, también podemos crearlos por nuestra cuenta cuando nos apetezca. También es muy fácil.

1. En el cuadro de diálogo de la figura 7.7, hacemos clic en Crear.

2. Escribimos una descripción que nos permita localizar el punto de restauración en el futuro y hacemos clic en Crear.

4. Tras una breve espera, se nos informa de la finalización del proceso.

Lógicamente, si ahora accedemos al listado de los últimos puntos de restauración, como el mostrado en la figura 7.8, ahí aparecerá el que acabamos de crear.

El botón Configurar de la figura 7.7 nos permite modificar el espacio reservado en el disco a los puntos de restauración e, incluso, borrar éstos para liberar espacio.

¿Y qué podemos hacer si el equipo sigue sin funcionar perfectamente después de restaurar el sistema? Windows 8 todavía nos ofrece dos posibilidades para poner el sistema a punto, si bien una de ellas es muy drástica.

- Restaurar tu PC sin afectar a los archivos: actualiza el equipo sin eliminar archivos personales ni configuraciones; eso sí, es necesario reinstalar después todas las aplicaciones salvo las adquiridas en la tienda de Microsoft.

- Quitar todo y reinstalar Windows: deja el equipo como recién salido de fábrica, perdiendo por tanto todos los datos y aplicaciones. Si llevamos idea de regalar el ordenador o reciclarlo, es una magnífica alternativa para salvaguardar nuestra privacidad; en caso contrario, mejor nos olvidamos de esta opción, ¿no crees?

Si en algún momento precisamos acudir a una de las dos posibilidades anteriores, sólo tenemos que hacer lo siguiente:

1. Vamos al acceso **Configuración** (Windows-I) y, en su parte inferior, activamos **Cambiar configuración de PC**.

2. Nos desplazamos a **Uso general** y en su sección inferior, mostrada en la figura 7.9, encontramos las dos opciones comentadas.

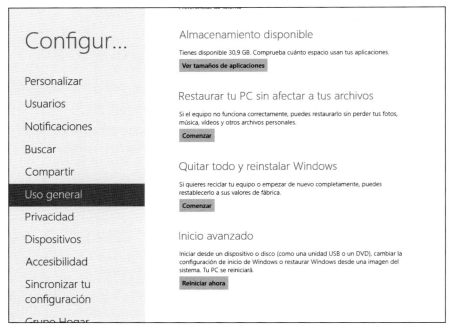

Figura 7.9. Restaurar y reinstalar.

3. Hacemos clic en Comenzar de la que nos interese y seguimos obedientemente las instrucciones que se nos vayan dando.

Opciones de energía

Si estamos utilizando un ordenador de sobremesa, un adecuado plan de energía nos permitirá ahorrar algo de dinero, por ejemplo apagando la pantalla o poniendo el equipo en suspensión cuando lleve un cierto tiempo inactivo.

En el caso de un portátil resulta todavía más importante establecer una correcta configuración de la energía, para no quedarnos sin batería en el momento más inoportuno. ¡Cuántos enfados nos evitaríamos!

Cuando deseemos gestionar los planes de energía, sólo tenemos que activar el enlace de la sección **Opciones de energía** del Panel de control, en la figura 7.1. Abrimos de esta forma la ventana de la figura 7.10, donde observamos los tres planes de energía que tenemos disponibles en principio:

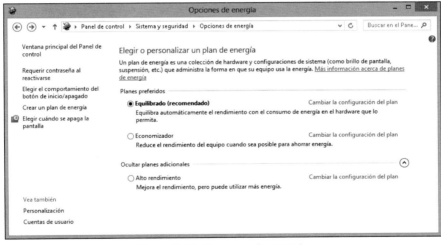

Figura 7.10. Opciones de energía.

- Equilibrado: Es el establecido por defecto y nos brinda el máximo rendimiento cuando lo necesitamos y ahorra energía cuando no se precisa.

- Economizador: Reduce algo el rendimiento del equipo y disminuye el brillo de la pantalla, todo con objeto de gastar el mínimo de energía. En otras palabras, esta opción puede interesarnos cuando utilizamos un equipo portátil.

- Alto rendimiento: Más rendimiento y más brillo, a cambio de más consumo de energía. Como puedes imaginar, no es una alternativa recomendable si queremos que la batería del portátil nos dure mucho.

> *En los equipos portátiles encontramos el icono de la batería en el área de notificación. Al activarlo podemos cambiar el plan de energía.*

En el lateral izquierdo de la figura 7.10 disponemos de unos enlaces que pueden sernos de utilidad para personalizar el consumo energético del equipo:

- **Elegir el comportamiento del botón de inicio/apagado** nos permite decidir qué sucederá cuando pulsemos el botón de encendido del equipo. Por defecto se apaga el ordenador, pero también podemos disponer que entre en hibernación o no haga nada.

- **Crear un plan de energía** nos ofrece la posibilidad de crear nuestro propio plan de energía, partiendo de Equilibrado.

- **Elegir cuándo se apaga la pantalla** nos brinda varias alternativas para elegir el tiempo de inactividad tras el cual se apaga la pantalla y se pone el equipo en suspensión.

FIREWALL DE WINDOWS Y WINDOWS UPDATE

Como ya sabemos por la figura 7.1, Windows 8 incluye múltiples aplicaciones para salvaguardar nuestros datos y la seguridad de nuestro equipo, algunas de las cuales ya las hemos ido viendo. ¿Y qué pasa con las restantes? Lamentablemente a este libro ya le quedan muy pocas páginas y no hay espacio suficiente para comentarlas todas con cierto detenimiento, así que vamos a centrarnos en dos que son de suma importancia y, por tanto, es necesario conocer: Firewall de Windows y Windows Update.

El Firewall (cortafuegos) de Windows es una herramienta que bloquea el paso a gusanos, piratas, etc., para impedirles que accedan a nuestro equipo, a través de Internet o de una red. Lógicamente siempre debemos tenerlo activado para evitarnos problemas.

Si instalamos una aplicación firewall adicional (cosas más raras se han visto), es muy posible que nos encontremos con múltiples complicaciones. Con sólo un firewall es más que suficiente.

Sin embargo, en algunos casos es necesario hacer una excepción con determinados programas que deben aceptar conexiones entrantes (juegos en red, programas P2P, etc.). Cuando se ejecuta uno de estos por primera vez, el Firewall de Windows nos ofrece la posibilidad de desbloquearlo para que pueda funcionar.

¿Y qué debemos hacer si cambiamos de opinión más adelante? Para desbloquear cualquier programa bloqueado por el Firewall de Windows o viceversa, basta con seguir los pasos que se detallan a continuación.

1. Abrimos la ventana de Firewall de Windows de la figura 7.11, por ejemplo activando el enlace de la sección **Firewall de Windows** del Panel de control, en la figura 7.1.

2. Activamos su enlace lateral **Permitir una aplicación o una característica a través de Firewall de Windows**.

3. En la nueva pantalla hacemos clic en el botón Cambiar la configuración.

4. Ahora las casillas de la lista están ya disponibles y podemos inhabilitar cualquier programa, bien de forma temporal (desactivando su casilla) o definitiva (con Quitar). Además, podemos añadir nuevos programas a la lista con Permitir otra aplicación.

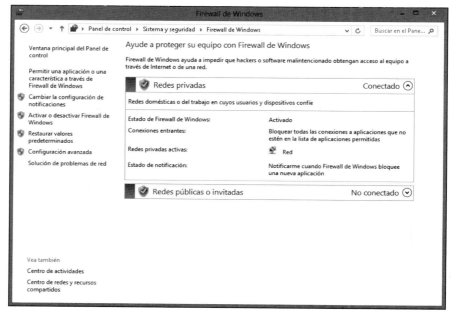

Figura 7.11. Firewall de Windows.

NOTA

En el lateral de la ventana de Firewall de Windows, mostrada en la figura 7.11, se ofrece un enlace con el que desactivar Firewall de Windows. No es recomendable hacerlo, ni mucho menos, salvo que llevemos idea de instalar una aplicación firewall de otra empresa.

En cuanto a Windows Update, es una aplicación que se encarga de mantener el equipo completamente actualizado, comprobando todos días si hay alguna nueva actualización e instalándola de manera automática, por defecto.

¿Y por qué son necesarias las actualizaciones periódicas? Por un lado, con el paso de tiempo se van descubriendo pequeños gazapos en los programas que podrían ser aprovechados por software malicioso para hacer de las suyas y, claro está, no es cuestión de permitírselo. Por otro lado, gracias a las actualizaciones accedemos a todas las modificaciones que se incorporan a Windows 8 para mejorar su rendimiento, adaptarlo a las novedades técnicas que van surgiendo, etc.

Debido a todos estos motivos, Windows Update es sumamente importante de cara a mejorar las prestaciones del equipo y protegerlo contra nuevos elementos dañinos.

En la figura 7.12 vemos la ventana de Windows Update (ya no hace falta comentar cómo abrirla, ¿verdad). De los enlaces de su lateral izquierdo, el más interesante es **Cambiar configuración**, con el que podemos variar la periodicidad de las actualizaciones importantes e, incluso, indicar que sólo se instalen cuando así lo decidamos.

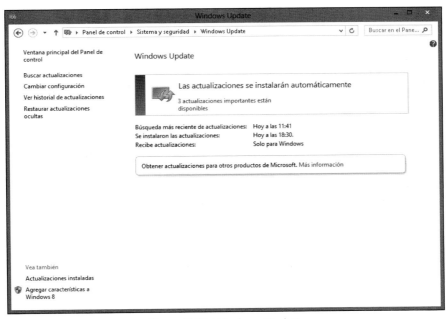

Figura 7.12. Windows Update.

La opción predefinida, **Instalar actualizaciones automáticamente**, es la más segura, desde luego, pero quizás no sea la más recomendable si tenemos la costumbre de dejar abandonado el ordenador en funcionamiento mucho tiempo.

Si nuestra ausencia coincide con el horario de las actualizaciones, es posible que la instalación de éstas exija reiniciar el equipo y al volver nos encontremos en la ventana inicial de Windows 8.

En estos casos de abandono muy prolongado es más recomendable escoger una de las otras opciones de configuración de Windows Update para actualizaciones importantes: **Descargar actualizaciones, pero permitirme elegir si deseo instalarlas** o **Buscar actualizaciones, pero permitirme elegir si deseo descargarlas e instalarlas**.

WINDOWS DEFENDER

Otra medida que resulta absolutamente imprescindible para preservar la seguridad de nuestro equipo es tener instalado un buen antivirus; es decir, un programa que siempre permanece activo en memoria, con objeto de detectar y eliminar los intrusos que desean colarse en nuestro ordenador.

El antivirus también se denomina antimalware o protección contra malware, ya que el software potencialmente peligroso se conoce por malware: virus y spyware, básicamente. ¿Y qué es eso del spyware? Con este término inglés se designa a las aplicaciones espías que se especializan en recopilar información personal a escondidas.

Una vez aclarada la necesidad del antivirus, seguramente te preguntes cuál te interesa instalar en tu equipo, para protegerlo de visitantes indeseables. La respuesta es fácil que te sorprenda: ninguno.

Alucinante, ¿verdad? Si antes hemos dicho que un antivirus es necesario, ¿cómo ahora indicamos que no es preciso instalar ninguno? No hay ninguna contradicción, en serio, porque Windows 8 incorpora su propio antivirus: Windows Defender.

Para preservar nuestro equipo de cualquier malware, Windows Defender supervisa en tiempo real tanto los archivos que descargamos, instalamos o ejecutamos a través de Internet como las aplicaciones que se ejecutan en el equipo. ¡Un buen vigilante, siempre atento!

¿Y qué pasa si Windows Defender descubre alguna posible amenaza? Pues nos lo notifica mediante una alerta. ¿Y no sería mejor que lo eliminara directamente? Sí, desde luego, pero podría darse el caso de que algún software sospechoso fuese benigno y su eliminación igual nos fastidiaba. De modo que a veces nos tocará decidir qué hacer si el nivel de la alerta es medio o bajo.

Al igual que sucede con las aplicaciones firewall, nunca debemos tener activos dos antivirus en un mismo equipo, porque seguramente se armará un lío de mucho cuidado.

Windows Defender, aunque se activa por defecto y supervisa todo en tiempo real, es una aplicación que está un tanto escondida y, por ejemplo, no está disponible en ninguna de las secciones de la figura 7.1. Es posible que alguna actualización futura de Windows 8 coloque su icono en el área de notificación, pero, por el momento, si necesitamos abrir su ventana, que vemos en la figura 7.13, lo más sencillo es acudir al acceso **Buscar**.

- **Inicio** nos ofrece la posibilidad de examinar el equipo para comprobar que no hay malware escondido por ahí. Primero debemos decidir el tipo de examen: **Rápido**, que sólo mira en los sitios habituales; **Completo**, que analiza todo el contenido del disco duro y, por tanto, puede llevar bastante tiempo; **Personalizado**, que supervisa sólo las unidades y carpetas que seleccionemos. Después de elegir nuestra opción, sólo tenemos que hacer clic en Examinar ahora.

Figura 7.13. Windows Defender.

- **Actualizar** nos permite actualizar las definiciones de todo el malware que se va conociendo, que son en las que se basa Windows Defender para reconocer al software sospechoso y detenerle el paso. Como es lógico, para que nuestro equipo esté protegido contra las novedades malignas es imprescindible que ese catálogo de definiciones esté actualizado, tarea que se realiza a través de Windows Update. Por tanto, si hemos modificado la configuración de Windows Update y no se instalan las actualizaciones automáticamente, deberemos actualizar las definiciones de malware desde Windows Defender con bastante frecuencia.

- **Historial** nos muestra los elementos detectados como potencialmente peligrosos y no eliminados (están en cuarentena, en otras palabras). Si después de mirarlos resultan que no son de confianza, lo mejor es eliminarlos. ¿Y si alguno sí es fiable? Siempre podemos permitirlo y Windows Defender dejará de advertirnos sobre él.

- **Configuración** nos brinda diversas posibilidades para personalizar la configuración de Windows Defender. En principio, la preestablecida resulta bastante adecuada; no obstante, si haces algún cambio, ten la precaución de dejar siempre activada la casilla **Activar protección en tiempo real**.

¡Y ya no queda sitio para más! ¡Se han terminado las páginas que teníamos disponibles! Así que vamos a terminar como empezamos, recordando al gran Antonio Machado: "Todo pasa y todo queda, pero lo nuestro es pasar".

Deseamos que la lectura te haya resultado amena. ¡Hasta siempre!

Índice alfabético

A

aac, 202
Abrir con, 137-138, 175
Acceso directo, 139-140
Acceso público, 170-171
Actualizar, 231, 233, 282
Administrador, 162-165
Administrar otra cuenta, 164, 166
Administrar, 98-99, 157, 161, 181
Agregar a Favoritos, 252-253
Agregar un usuario, 164
Ajustar a la ventana, 181
Anclar a Inicio, 23, 53, 75, 104
Anclar a la barra de tareas, 88, 104
Anclar sitio, 51
Apagar, 56
Aplicaciones, 19, 36
Archivos de programa, 137
Área de notificación, 60, 90-91, 118, 150,
    204, 276, 281
Aumentar la velocidad del sistema, 148
avi, 207-209, 211

B

Biblioteca de imágenes, 31
Bing, 51-52, 235, 244
Bloc de notas, 110, 119-120, 122
Bloquear, 56, 167
Bloquear la barra de tareas, 88
bmp, 101, 177-178, 200-201, 207
Buscar, 35-38, 43, 47, 51, 53, 76-77, 84,
    104, 110, 113, 119, 130, 136, 138,
    148, 151, 162, 202, 263, 271, 281

C

Calculadora, 132-134, 145
Calendario, 38, 44-45
Calidad de audio, 218
Cámara, 27, 29-31, 55
Cambiar configuración de PC, 38, 40,
    54, 274
Cambiar de usuario, 56, 167
Cambiar iconos del escritorio, 78
Cambiar punteros del mouse, 83
Cambiar tipo de cuenta, 164
Carpeta comprimida, 100-101
Cerrar sesión, 56, 167
ClearType, 87
Códec, 209-212
Combinación de sonidos, 202-203
Como una unidad flash USB, 153-156
Compartir, 35, 49, 64, 100, 130, 158, 161,
    172, 185
Compartircon, 171, 173
Compatibilidad, 140-141
Comprobación de errores, 268-269
Con un reproductor de CD o DVD, 153,
    155, 157
Configuración, 35-36, 38, 40, 44-45, 47,
    49, 51, 54, 56, 77, 82, 84, 136, 141,
    162, 164, 260, 263, 274, 283
Configurar esta unidad, 148
Configurar página, 105, 251
Contactos, 43
Control de cuentas de usuario, 163-164
Cookies, 257, 259, 261
Copiar música desde CD, 216
Correo, 35, 38-39, 46, 130

Cuenta local, 42, 166
Cuenta Microsoft, 38-42, 54, 164, 166
Cuentas, 44, 47
Cuentas de usuario, 162

D

Dejar de compartir, 173
Deportes, 23
Descargas, 234-235
Desfragmentar y optimizar las unidades,
    266-267
Desinstalarun programa, 136
Detalles, 92-93, 128, 182, 184, 201, 208
Dispositivos, 35, 130
divX, 207, 209-211
Documentos, 38, 108, 110

E

Editar colores, 190
Editor de caracteres privados, 124-125
El tiempo, 23
Elegirprograma predeterminado, 138, 175
Eliminar archivos temporales, 158
Enmarcar imagen, 184
Enviar a, 100-101, 140, 149, 156-157, 198
Equipo, 143, 148, 152, 171, 173
Escritorio, 13, 59
Estándar, 162-164, 166, 168
Examinar unidad, 269
Explorador de archivos, 60, 62, 73, 87,
    143, 160
Expulsar, 151, 157, 161
Extraer, 101

F

Facebook, 27, 43-44
FAT, 152
Favoritos, 251-254
Filtrado web, 168
Finanzas, 23
Firewall de Windows, 276-278
Flash, 229
Fondo de escritorio, 79

Formas, 190-191
Formatear, 152-153, 156
Fotos, 27-29, 31, 35, 48, 137, 149, 175,
    179, 197

G

gif, 178-179
Google, 46, 245-246
Grabar archivos endisco, 153, 155
Grabar en disco, 158, 161
Guardar como, 114, 128, 130, 189, 198,
    202, 235, 249
Guardar destino como, 234
Guardar imagen como, 248

H

Herramientas de imagen, 64
Herramientas de página, 51
Hojas de cálculo, 134
Hotmail, 38

I

Imagen de cuenta, 54
Imágenes, 38, 71, 149, 196, 248
Importar, 150
Imprimir imágenes, 186
Incluir en biblioteca, 71
Indicio de contraseña, 166
Informe de actividades, 168-169
InPrivate, 241, 257-258, 260-261
Instalar actualizaciones
    automáticamente, 280
Internet Explorer, 19-20, 39, 42, 49-50,
    179, 210, 214, 229-246, 248, 251-
    252, 254-260
Invitado, 164-165
ISO, 160-161

J

Java, 237-239
jpeg, 60, 101, 178-179, 201, 207
Juegos, 32

K

Kbps, 201

L

Lector, 19, 129-130, 235
Liberar espacio en disco, 264-266
Límites de tiempo, 169
Listas de reproducción, 222-223

M

m3u, 223
m4a, 202
Mapa de caracteres, 122-124, 126
Mapas, 23, 35, 44
Máscara, 212-214
Mastered, 153
Mensajes, 43-44
Messenger, 43-44
Metadatos, 182, 205
Metro, 12
mht, 250
MicrosoftXPS Document Writer, 128
Modern IU, 12
Mostrar escritorio, 68
Mostrar iconos ocultos, 150
mp3, 91, 101, 137-138, 201-202, 204, 207, 215, 218-219, 225, 235
mp4, 202, 208-209
mpeg, 208
MS-DOS, 110, 151-152
Música, 17-18, 31-32, 48, 71, 175, 223

N

Notas rápidas, 120
Noticias, 23
NTFS, 152
Nueva carpeta, 49, 63, 67, 253
Nueva pestaña, 241

O

odt, 109
Opciones de carpeta, 76-77
Opciones de Internet, 51, 260

Optimizar, 267
Ordenar por, 92
OrganizarFavoritos, 253
Outlook, 38.
oxps, 127-128, 130

P

Página principal, 231-232, 243, 260
Paint, 53, 128, 137, 188, 191-192, 194, 196, 199
Panelde control, 136, 162, 202, 263-264, 270, 275, 277
Paneles, 74
Pantalla de bloqueo, 55
Papelera de reciclaje, 98-99, 264
Párrafo, 107-108, 116
Path, 60, 65
pdf, 37, 127, 129-130, 235
Pegado especial, 116, 248
Pegar desde, 195
Pendrive, 99, 144, 146, 148
Phishing, 259
PIN, 42
png, 178-179, 196, 207
Portapapeles, 112, 195
Programas predeterminados, 138, 204
Protección del sistema, 271
Protección infantil, 166, 168-169
Protector de pantalla, 79, 81-82
Proveedores de búsquedas, 244-245

Q

Quitar todo y reinstalar Windows, 273

R

Recortes, 196-197, 199
Reemplazar, 113
Reiniciar, 56
Relojes adicionales, 91
Reproducción automática, 147-148, 154
Reproducción en curso, 205-206
Reproductor de Windows Media, 17, 175, 204-207, 209-212, 214-216, 218, 220-227, 232, 235

Resolución de pantalla, 85
Restaurar sistema, 269-270, 272
Restaurar tu PC sin afectar a los
    archivos, 273
Restaurar valores predeterminados, 76
rtf, 60, 101, 108-109
Ruta, 60, 65, 172-173, 230

S

Selección del explorador, 19-20
Seleccionar, 124, 194
Seleccionar todo, 80, 95, 112, 184, 194
Selector de color, 193
Selector de máscaras, 213
Símbolo del sistema, 151
Sincronizar, 224
Sistema de archivos LFS, 153
SkyDrive, 35, 38, 47-49, 130, 153,
    235-237
SmartScreen, 259-260
Sonidos, 79, 202
Spyware, 280

T

Texto, 194
Tienda, 32, 135, 212
txt, 110, 119

U

Ubicaciones recientes, 65
Unidad de DVD RW, 156-157
USB, 146-151, 153-156, 224

Usuarios, 40, 171, 173, 254
Usuarios específicos, 171, 173

V

Ver presentación, 181
Viajes, 21
Vídeo, 31-32, 175
Visor de XPS, 130-131
Vista, 64, 74-75, 92-93, 105
Vista de compatibilidad, 229, 233
Vista previa de impresión, 117, 250
Visualizador de fotos, 137, 175, 179, 181-
    182, 184, 187

W

wav, 200, 202-203, 207, 225
Windows Defender, 280-283
Windows Update, 276-280, 282
wma, 201, 204, 207, 215, 218-219, 225
wmv, 208, 235
WordPad, 53, 60, 103-105, 108-111, 113-
    114, 116-117, 119, 122, 128, 133,
    137, 155, 189, 194
wpl, 223

X

xps, 127-128, 130
Xvid, 207, 209-211

Z

zip, 99-101
Zoom, 105, 189, 192